IL ÉTAIT UNE FOIS DANS L'ESPACE

DU MEME AUTEUR

dans la collection « Espionnage » :

Vacances pour un espion.
La Margaïe aux espions.
Les rats de la section IV.

dans la collection « Feu » :

Mourir pour Xa.
Cao Bang.
Embuscades au Tonkin.
Cap sur Mourmansk.

dans la collection « Anticipation » :

Adieu Céred.

JACQUES HOVEN

IL ÉTAIT UNE FOIS DANS L'ESPACE

COLLECTION
« ANTICIPATION »

EDITIONS FLEUVE NOIR
69, boulevard Saint-Marcel - PARIS-XIIIᵉ

« *L'homme est fait de départs,
même s'il n'arrive jamais.* »

Morvan LEBESQUE.

CHAPITRE PREMIER

Sur le panneau hémisphérique qui dominait la consolette de pilotage, une lampe orange se mit à clignoter.

L'aiguille d'un cadran franchit en tremblant le repère rouge de la limite de poussée. Sur l'écran du central-navigation, un chiffre s'inscrivit, se modifia, revint avec insistance éclairer l'angle du tube cathodique. Un vibreur fit entendre un son grave intermittent.

De service au cerveau-machines, l'officier mécanicien en second Chlang se leva. Il considéra avec une moue critique la multitude de voyants colorés où se résumait la vie complexe de la machinerie et, sans précipitation, manœuvra d'une infime pression du pouce la molette de contrôle des canalisations d'énergie.

Aussitôt, l'écran du robot-navigation reprit sa teinte rose pâle, la lampe d'alerte cessa de clignoter ; la pointe de l'aiguille se stabilisa entre les marques noires déterminées par la calculatrice électronique. Le vibreur se tut.

Tout étant de nouveau en ordre dans les organes moteur de l'*Athos,* Chlang tourna la tête dans la direction du poste de commandement installé entre les deux grands hublots panoramiques masqués par les blindages.

Du siège qui faisait face à la console de pilotage et d'où il pouvait voir, par les triples baies, l'ensemble des postes occupés par l'équipe de service, le commandant Jasmard se contenta d'approuver d'un signe de tête.

Sans un mot, Chlang reprit sa place devant le panneau hémisphérique. Il nota sur sa feuille de bord qu'une variation de 0,7 *G.* s'était produite au niveau des canalisations des propulseurs ioniques à H 724 plus 18'30", et reprit paisiblement sa veille devant les instruments.

Sans doute était-ce en vertu du caractère taciturne du second mécanicien que Jasmard le choisissait comme coéquipier à ses heures de quart. Il appréciait ses silences, la rapidité de ses réflexes et le regard tranquille qui brillait dans les fentes obliques de ses yeux.

Le commandant alluma une cigarette. Le calme était absolu, et intense la paix dans laquelle il baignait... Satisfait, il étira ses membres et s'installa mieux au creux du siège pneumatique.

Devant lui, une ligne de lumière verte traversait en droite ligne la sphère diaphane qui palpitait au-dessus du tableau des commandes. Ainsi s'inscrivait, en vert au creux d'une boule opalescente, la route de l'*Athos* dans l'espace apparent.

Le navire fonçait dans le néant incolore du subespace.

C'était un aviso léger de reconnaissance à long rayon d'action, à machine alternative ionique, tuyères triples et fusées atomiques d'appoint ! Un bel engin ! Tout neuf, pourvu des derniers perfectionnements techniques, doué d'une vitesse translumnique de cinq kilos $(G + g)$, et néanmoins capable de manœuvrer avec l'aisance d'un patrouilleur ! Ses caractéristiques et ses performances l'avaient tout naturellement désigné pour accomplir la mission d'exploration la plus lointaine jamais entreprise par l'homme.

L'expédition la plus hasardeuse aussi, car l'équipage de l'astronef ignorait tout de sa destination !

Quelques semaines plus tôt, dans l'immeuble de verre et d'acier érigé à l'angle de l'avenue Aimé-Michel et du boulevard Pierre-Nemours où étaient rassemblés les services d'une administration jadis florissante, le haut commissaire à l'exploration spatiale avait remis à Jasmard les insignes de son commandement, puis, à l'issue de la cérémonie, il l'avait entraîné dans son cabinet de travail. Sa mine était soucieuse.

— Commandant, avait-il dit, ce n'est pas à vous que j'apprendrai que les contribuables rechignent de plus en plus à alimenter les caisses de l'administration spatiale. Les députés rognent nos crédits et, si cela continue, nous n'aurons même plus de quoi subvenir aux besoins des colonies de Proxima et de Céred... Bientôt, faute de moyens, le grand rêve de l'humanité d'explorer toute la Galaxie et d'établir enfin un contact avec une autre race intelligente ne sera plus qu'un souvenir...

Jadis, les hommes croyaient à la conquête de l'espace. Mais les temps avaient changé. L'exploitation d'Alpha avait été un fiasco. Les expéditions parties pour Orion et la Lyre n'avaient rien ramené de positif. Quant à l'escadre envoyée sur Bételgeuse, elle avait disparu corps et biens... Des sommes fabuleuses étaient englouties dans l'espace, mais, mis à part la découverte des minerais de Rigel et de Céred dont l'extraction revenait fort cher et la rencontre de races animales sans intérêt pour la science ou l'économie terriennes, rien ne prouvait qu'une société évoluée, égale ou supérieure à l'humanité, habite la Voie lactée.

— C'est pourquoi, avait ajouté le haut commissaire avec un soupir, j'ai décidé de frapper un grand coup et de prendre le risque d'exploiter les renseignements recueillis par une simple batterie de sondes-robots envoyées dans un repli mal connu du subespace...

Il s'était levé et, tournant le dos à Jasmard, il était parti à pas lents vers la cloison où palpitait une large portion d'espace virtuel, semblable à la sphère de navigation translumnique de l'*Athos*.

— Voici la Terre et, ici, l'astre double de Céphée...

Plongeant dans la sphère une règle de métal dont l'extrémité parut se sublimer, le responsable de l'exploration du cosmos avait poursuivi :

— C'est à peu près l'endroit où a été localisé un repli de l'espace dont nous avons cru longtemps qu'il s'agissait d'un gigantesque *pulsar*...

Le commandant se souvenait de la découverte de ce *trou noir* à émission intermittente. Tous les savants avaient alors déclaré que le phénomène était dû à un astre qui, arrivé au stade ultime de son évolution, avait créé un champ gravitationnel tel que l'espace environnant avait atteint son degré de courbure maximal.

— Or, avait repris le haut commissaire, il semble bien qu'il s'agisse, en réalité, de tout autre chose. Une faille du continuum spatio-temporel, par exemple, car c'est par-là que sont passés les laboratoires automatiques que nous avions lancés dans cette direction.

Jasmard avait tout de suite compris ce que le haut commissaire attendait de lui : défricher une route qui, objectivement, n'existait pas, puisqu'elle se situait dans ces régions mystérieuses où l'espace et le temps se confondent. Il demanda :

— Les laboratoires automatiques ont-ils pu regagner la Terre ?

— Oui. Mais après avoir décrit une trajectoire bizarre dans une zone parallèle du continuum. Pour être franc et ne rien vous cacher des difficultés qui vous attendent, je dois ajou-

ter que nous ignorons le chemin qu'ils ont
suivi car, comme vous le savez, les sondes-
robots ne sont pas équipées de sphères d'espace virtuel où se matérialise la route d'un
astronef dès que celui-ci s'écarte de l'espace
à trois dimensions.

Le haut commissaire avait toussé dans son
poing ; puis il avait ajouté, en tendant à Jasmard la cassette d'enregistrements sur magnétoquartz où le commandant allait trouver les
instructions précises concernant sa mission :

— En revanche, les appareils d'observation
des sondes ont emmagasiné une foule de renseignements extraordinaires sur un soleil que
nous avons baptisé Angus, et sur son système
planétaire... D'après ces enregistrements, le
nombre de corps célestes qui tournent autour
de cette étoile, leurs distances, leurs masses,
leur composition, seraient semblables à ceux
de notre propre système solaire. Pour autant
que l'on puisse en juger sur des relevés effec-
tués par de simples robots, il existerait là-bas
une planète en tous points identiques à la
Terre...

— Même spectre ? avait demandé Jasmard.

— Exactement, avait répondu le haut commissaire.

Cela signifiait que, en raison de la similitude des deux systèmes, la vie avait eu toutes
les chances de se développer selon le même
processus que sur la Terre ! Et qu'il existait
enfin un espoir réel de rencontrer une espèce
évoluée au plus profond de la Galaxie !

Les conséquences de cette découverte, si

elle se confirmait, seraient d'une importance capitale pour le développement de l'humanité. Mais il fallait que des hommes aillent vérifier sur place les observations des sondes automatiques. Il fallait donc lancer un navire, avec tout son équipage et un groupe de chercheurs, dans un méandre inconnu du subespace. Et il fallait aussi que ce navire, à tâtons, reconstitue le chemin suivi par les sondes et, surtout qu'il enregistre, avec une extrême précision, chacune des coordonnées du voyage *aller*. C'était à cette seule condition que le commandant de l'aviso de reconnaissance pourrait déterminer la route de son *retour*.

*
* *

Ce que l'*Athos* emportait dans ses flancs, c'était ce qui restait de l'immense espoir des hommes de découvrir leurs frères du bout de l'univers ! Si l'expédition ne devait rencontrer que des astres morts, ce rêve vieux comme le monde se dissoudrait dans la terne et poussiéreuse grisaille d'une Terre qui n'était plus qu'un amas de béton, d'acier et de plastique, où errait un peuple de fourmis.

Et cet espoir luisait là-bas, aux confins de la Galaxie, dans un repli de l'espace-temps qui n'avait encore jamais été exploré...

Aux commandes de l'aviso, Jasmard fixait, dans la sphère d'espace apparent, la reproduction virtuelle d'Angus. Pour le moment, ce n'était qu'un point dans l'infini, une minuscule tête d'épingle invisible du subespace où navi-

guait l'*Athos*, mais vers laquelle se dirigeait la
mince ligne de lumière verte qui se frayait un
chemin dans le simulateur de route spatiale.
Le commandant du navire ne se lassait pas de
la contempler avec passion.

Une porte s'ouvrit dans le dos de Jasmard
et la longue silhouette de Carlsberg, le navigateur du bord, se glissa vers la consolette.
L'homme déposa une carte perforée sur le
pupitre des commandes.

— Voici les coordonnées du point d'émergence, commandant.

Sans hâte, Jasmard considéra la carte qui
luisait entre ses deux supports de plastique
coloré.

— A H 785 plus 15 minutes, ajouta
le navigateur, l'*Athos* devra réintégrer l'espace
objectif. Nous serons alors à moins de cent
millions de kilomètres du soleil Angus.

D'un signe de tête, le commandant remer-
cia l'officier de navigation. Puis il glissa la
carte perforée dans la fente du lecteur et
scruta l'écran sur lequel les coordonnées s'inscrivaient en clair. Des chiffres et des symboles
bleus et jaunes défilèrent alors sur le tube
cathodique. Dès qu'ils se furent stabilisés,
Carlsberg appuya sur la touche de contrôle
et un point rouge apparut au cœur du simulateur sphérique de route spatiale. C'était là
que l'*Athos,* après sa navigation en droite ligne
à travers les nœuds de l'espace courbe, ressur-
girait parmi les astres de la Voie lactée.

— Il nous reste soixante et une heures, en
temps terrestre, avant de faire surface, dit

encore Carlsberg de son ton traînant. Dois-je éveiller les scientifiques ?

Jasmard aimait les longues traversées dans le subespace. Il lui plaisait de fixer les écrans et des hublots qui béaient, non pas sur le vide, mais sur rien ! Il goûtait le silence infini des nœuds spatio-temporels où l'homme avait enfin réussi à lancer des machines habitées, et où tout semblait arrêté, figé, où le cours des choses et du temps n'avait plus de sens.

Il appréciait les membres de son équipage qui savaient se taire et rester, des journées durant, sans rien dire, immobiles devant le néant des appareils d'observation, à scruter la vie infime des aiguilles et des cadrans comme s'ils participaient eux-mêmes, charnellement et intellectuellement, à cette immense absence qui les englobait.

Il pensa aux membres de l'équipe du professeur Goldenberg endormis dans leurs cocons depuis le décollage de la Terre, et imagina leur intrusion dans leur paix de navigateurs respectueux du silence infini de l'espace.

— Laissez-les donc dormir, répondit-il à Carlsberg en levant sur son second un regard très bleu.

Le navigateur toussota dans son poing.

— Le docteur Erl a demandé à être éveillé avant l'émergence, commandant. Quant au professeur Goldenberg, il tenait à mettre ses instruments d'observation astronomique en batterie avant notre retour dans l'espace normal.

Jasmard soupira. Devait-il permettre aux scientifiques de bousculer la tranquillité de l'équipage au moment d'une manœuvre dangereuse ? Il haussa les épaules et grommela :

— Faites comme vous voudrez, Carlsberg, mais interdisez-leur l'accès au poste de commandement !

Le navigateur inclina la tête et disparut aussi silencieusement qu'il était venu.

Sans un bruit, sans un heurt, l'*Athos* poursuivait sa course dans l'océan sans côté, sans dessous, sans dessus, du subespace.

CHAPITRE II

H 785 plus 14 minutes.

Les lampes du bord éteintes et les dynamos mises hors circuit, une lueur laiteuse nimbait les instruments et donnait aux hommes, immobiles à leurs postes, un teint blafard.

Depuis sept cent quatre-vingt-cinq heures, soit un mois et un peu moins de trois jours pour l'*Athos,* son équipage et ses passagers, le navire fonçait en droite ligne à travers les replis de l'hyperespace.

Combien d'années s'étaient donc écoulées sur la Terre durant ce laps de temps ? Le commandant Jasmard n'aurait eu qu'un geste à faire, une seule touche à enfoncer sur le clavier de la calculatrice pour voir apparaître, au centre du lecteur, le degré exact de contraction du temps relatif. Mais à l'instant qui précédait la délicate opération d'émergence dans l'espace cohérent de la Galaxie, il préférait ignorer si les ans avaient fait du haut commissaire à l'exploration spatiale un vieillard à la

retraite, et combien de rides nouvelles creu-
saient les visages des hommes et des femmes
qu'il aimait.

Depuis le départ de l'aviso, la politique
d'expansion spatiale avait eu le temps d'être
révisée plusieurs fois. On pouvait même se
demander si de puissantes flottes terriennes de
reconnaissance sillonnaient de nouveau le cosmos, ou si les isolationistes avaient remporté
une victoire définitive ? Si tel était le cas, tous
les appareils en service avaient dû regagner
leur port d'attache en raison des compressions
budgétaires, et l'*Athos* restait peut-être le seul
engin construit par l'homme à naviguer dans
l'insondable océan intersidéral...

*H 785 plus quatorze minutes et quinze
secondes.*

Les membres de l'équipage étaient à leurs
pupitres : Jasmard aux commandes, Carlsberg dans la chambre de navigation, le premier officier mécanicien Kowalsky dans la salle
des machines, Chlang aux manettes du panneau hémisphérique. Chacun d'eux semblait
participer à l'immobilité totale des choses, à
cette espèce d'absence floue et insaisissable qui
imprègne les astronefs immergés au cœur du
subespace.

Tendus mais calmes, figés comme des sta-
tues face à l'éternité, ils ne manifestèrent
aucune émotion quand la voix de Carlsberg
résonna dans le communicateur.

— Trente secondes !

Les scientifiques et les techniciens de
l'équipe du professeur Goldenberg avaient été

éveillés, sortis de leurs cocons et consignés au carré principal pour la durée de la manœuvre. Les yeux rivés sur les écrans et le hublot panoramique, ils attendaient, en comptant les secondes, que là où il n'y avait *rien,* pas même le vide, surgisse d'un seul coup tout un monde d'étoiles, de soleils, de comètes et de planètes.

Goldenberg lui-même, pourtant vieux routier de l'espace, ne pouvait réprimer le frisson qui serpentait le long de son échine. En dépit des comprimés d'aëïne III qu'il avait absorbés comme tous les occupants du navire, il ressentait intensément l'émotion qui étreint ceux que le plus infime caprice d'un accélérateur d'ions mal réglé peut renvoyer, de ricochet en ricochet, d'une courbure de l'espace à l'autre, sans aucun espoir de retour dans l'univers des vivants !

Dans la salle des commandes, le cerveau-navigation fit entendre sa sonnerie aigrelette.

D'un geste de l'index, Jasmard débloqua la touche de pilotage automatique et empoigna les commandes manuelles.

H 785 plus quinze !

A deux années de lumière de l'astre double de Céphée où ils avaient plongé dans l'inconnu parallèle, aux confins du lointain système d'Angus, il y eut un éclair bleu.

Aussitôt se modifia dans le vaisseau lumières, sons, couleurs, vibrations, expression des hommes... Jailli de l'espace courbe, l'*Athos* s'était matérialisé dans le vide, à quelques millions de kilomètres à peine des neuf planètes qui poursuivaient leur course sans fin autour de leur mystérieux soleil orangé.

Dans le carré principal, ce fut une explosion de joie. Comme des enfants soulagés par le danger qui s'éloigne, les scientifiques se mirent à parler tous à la fois.

Le retour à l'espace normal ressemble toujours à une sorte de renaissance. Même à des parsecs de tout lieu habité, c'est la vie qui triomphe du néant, la matière qui retrouve sa signification, le temps qui s'écoule de nouveau dans la même direction ! On vit le grave professeur Goldenberg embrasser la blonde Elisabeth Erl, médecin de la mission, et le géologue Gossein serrer avec chaleur la main de sa rivale traditionnelle, la géophysicienne Martha Hill !

Tous les autres, Gassama, Ganon et Bohl désignaient du doigt, en riant de plaisir, la somptueuse toile de fond qui scintillait de l'autre côté du hublot. C'était un peu comme s'ils rentraient chez eux après une longue et dangereuse absence !

Pourtant, tout proche, le soleil Angus brillait de ses feux énigmatiques. Et peut-être l'inconnu qu'il recelait contenait-il des terreurs bien plus inquiétantes que le néant de l'hyperespace ?

Dans le poste de pilotage, la détente ne fut perceptible qu'à ces signes discrets qui s'inscrivaient sur le visage d'hommes accoutumés au danger. Chlang ferma deux fois les paupières, Carlsberg se gratta le bout du nez, le premier mécanicien Kowalsky adressa un sourire à Jasmard.

Au cours des dix minutes qui suivirent, seuls furent échangés, à mi-voix, les termes techniques des procédures succédant à l'émergence. Puis, quand tout fut en ordre et que les tuyères atomiques eurent pris le relais du propulseur ionique, Kowalsky déclara :

— Nous étions bien tranquilles dans le subespace ! Maintenant, il va falloir supporter les quatre volontés des scientifiques !

Chlang fit une grimace, et Jasmard qui venait de rebrancher le système de pilotage automatique, hocha la tête avec une moue désabusée.

— Bien des missions ont échoué à cause de l'animosité qui dresse les cosmonautes et les savants d'une même expédition les uns contre les autres, dit Carlsberg. Nous devons éviter de nous heurter à Goldenberg et à ses types !

En tant que navigateur, il était le second de Jasmard. Sa formation scientifique le situait à mi-chemin des chercheurs et des cosmonautes, mais sa jeunesse le rendait parfois maladroit dans les tentatives qu'il faisait pour établir un climat de coopération entre les deux petites collectivités du vaisseau.

— A mon avis, dit Kowalsky, Goldenberg nous donnera du fil à retordre !

Chlang se contenta de siffler entre ses dents et Jasmard, sans rien dire, brancha le micro de l'intercommunicateur. Aussitôt, un

écran s'alluma et l'on vit, levés vers la caméra,
les visages de Goldenberg et de ses équipiers.

— Ici, le commandant, annonça Jasmard
de sa voix calme. L'*Athos* vient de franchir
avec succès le point d'émergence. Notre vitesse
est réduite à un kilo ($G + g$). Les procédures
de stabilisation commenceront dans deux journées, durée objective. A ce moment, il sera
possible de mettre en batterie les instruments
d'observation. Auparavant, nous tiendrons une
réunion générale au carré des officiers à H 790,
soit dans cinq heures. D'ici là, je vous conseille
de vous reposer.

On vit un instant les lèvres remuer sur le
visage de Goldenberg cadré en gros plan par
la caméra, mais aucun son n'en sortit. Jasmard
avait déjà coupé la communication et le tube
s'éteignit.

— Commandant, murmura Carlsberg avec
un ton de reproche, le professeur Goldenberg
est l'un des plus grands astrophysiciens
vivants !

Jasmard déplia ses membres et se leva.
Sans répondre au navigateur, il se dégourdit
les jambes en marchant de long en large dans
l'étroite cabine et s'approcha du premier écran
de surveillance. On y voyait, grossi par un puissant téléobjectif, Angus qui luisait de tous ses
feux orange sur un fond de nuit constellé
d'étoiles. Le commandant plissa les lèvres et
murmura comme pour lui-même :

— Dieu sait ce qui nous attend là-bas !

Puis il se tourna vers l'équipage rassemblé
et déclara :

— Demain, l'excitation de la découverte risque de transformer nos savants, même les plus graves et les plus réfléchis, en des garçonnets imprudents et téméraires. Rappelez-vous que, quoi qu'il arrive, c'est à nous, les cosmonautes, qu'il revient de garder la tête froide. Maintenant, allons nous reposer.

Depuis l'émergence, le dispositif de gravité artificielle faisait entendre son doux ronronnement, et la calculatrice de route un cliquetis régulier et obsédant.

A des années de lumière de toute planète habitée, les quatre hommes d'équipage et les sept savants de l'*Athos* formaient à eux seuls un monde en miniature qui errait dans la solitude du cosmos. Et dans cette parcelle d'humanité perdue au fond de l'espace, un homme était encore plus seul que les autres, le chef sur lequel reposait le succès de l'expédition et la sécurité de tous.

Jasmard referma la porte de sa cabine. Il s'étendit sur sa couchette et, les mains croisées sous la nuque, il resta ainsi, les yeux grands ouverts, à fixer le plafond de plastique qui diffusait une pâle lueur bleutée.

CHAPITRE III

— Y a-t-il quelque chose de plus beau dans l'univers ?

Elisabeth Erl désignait, par le hublot de l'entrepont où elle était venue chercher refuge contre l'agitation qui régnait à bord de l'*Athos,* une gigantesque planète aux couleurs étincelantes autour de laquelle gravitaient, comme des billes d'or sur un fond de velours noir, douze satellites.

— C'est vrai, admit Jasmard, rien n'est plus admirable qu'une telle planète lorsqu'elle se révèle pour la première fois à la vue des hommes.

Sans pouvoir détacher les yeux de l'extraordinaire spectacle qui se déroulait à des milliers de milles de leur orbite, elle rejeta ses cheveux en arrière et murmura :

— C'est étrange de penser que personne n'a jamais contemplé cela avant nous !

Jasmard sourit. Il inclina la tête et s'accouda à la barre d'appui du hublot, comme un voyageur devant la vitre d'un train.

— Les splendeurs que ce globe étale avec insolence sous nos yeux ne sont, en réalité, que des explosions de sodium, des ouragans de cristaux d'ammoniac, des tourmentes de méthane liquide...

Il y avait une sorte de haine respectueuse dans le ton de sa voix. Un léger soupir souleva la poitrine de la jeune femme qui demanda en riant :

— Tous les cosmonautes manquent-ils autant que vous du sens de la poésie ?

A son tour, Jasmard se mit à rire, mais son visage ne put dissimuler une certaine gravité lorsqu'il répondit :

— Dans l'espace, il n'est pas bon de laisser un cours trop libre à son imagination.

Rêveuse, elle passa la main sur ses tempes et s'humecta les lèvres.

— Un jour, peut-être, fit-elle, un ton plus bas, les hommes connaîtront les émotions que procure un voyage dans un cyclone d'ammoniac solidifié...

— C'est votre première mission dans l'espace, docteur ?

— Oui, commandant.

— Quand j'étais second à bord d'un destroyer en mission dans le système solaire et que nous croisions au large de Saturne, dit-il, un jour le commandant s'est laissé prendre à la magie surréaliste des anneaux. Il a lancé son navire à la poursuite d'un corps d'où jaillissait une multitude d'arcs-en-ciel. Ce spectacle avait sur l'équipage le même effet que le chant des sirènes sur les navigateurs de jadis. Nous étions tous hypnotisés par ce gigantesque caillou d'étincelles qui parcourait le ciel en tirant derrière lui une somptueuse traîne de paillettes d'or bleu dont chacune était un mirage. Pour nous, les dures lois du cosmos n'existaient plus. Nous poursuivions un rêve étrange, merveilleux et terrible, que chacun de nous portait au fond de lui-même. La fascination de cette course insensée dans l'étrange profondeur des anneaux saturniens était telle que j'ai perdu, moi aussi, le sens des réalités... Quand j'ai repris conscience, je me trouvais à bord du canot de sauvetage où un matelot mécanicien m'avait tiré lorsqu'il avait compris que notre poursuite nous conduisait à la catastrophe. Sur tout l'équipage, nous étions trois rescapés, serrés les uns contre les autres dans le canot qui avait été éjecté automatiquement. Le navire de ligne qui nous recueillit retrouva ensuite l'épave de notre destroyer qui errait, désemparé, aux confins de ces merveilleux anneaux. Sa coque était criblée d'une multitude de petits trous forés par les particules magnétisées qui constituaient la traîne de lumière bleutée de ce merveilleux astéroïde !

Tout le temps qu'avait duré son récit, Elisabeth n'avait cessé de le regarder, et il voyait maintenant dans les yeux de la jeune femme le reflet de la lumière qui émanait de la cinquième planète d'Angus autour de laquelle orbitait l'aviso.

Comme tous les corps célestes qu'ils

avaient observés depuis leur émergence et qui paraissaient être des copies des planètes du système solaire, Angus V ressemblait singulièrement à Jupiter. Chaque centimètre carré de sa surface supportait des tonnes d'atmosphère. La gravité y était dix fois supérieure à celle de la Terre. Les mêmes déflagrations de sodium secouaient les immensités glacées de méthane, ceinturant de geysers aux couleurs sanglantes la couronne atmosphérique d'ammoniac solidifié...

— A tout prendre, fit-il pour rompre le silence, cet astre ne m'inspire aucune sympathie !

Du cœur d'Angus V, une explosion plus forte que les autres illumina le hublot, éclairant la peau mate de la jeune femme qui battit des paupières.

— Commandant, fit-elle d'une voix basse, depuis que nous avons quitté le subespace, il m'arrive souvent d'avoir peur.

Les doigts de la doctoresse étaient crispés à la main courante qui longeait le vaste hublot. Jasmard eut envie de les saisir mais il se contenta de hausser les épaules et de s'écarter. Avec un sourire un peu las qui ne s'adressait qu'à lui-même, il enfonça les mains au fond de ses poches et murmura :

— Je ne connais personne qui n'ait jamais eu peur dans l'espace, docteur.

*
**

Depuis son émergence dans l'espace de l'étoile Angus, l'*Athos* avait exploré les abords de chacune des quatre planètes les plus éloignées avant de choisir son nouveau point de stabilisation orbital autour de la cinquième. Depuis lors, ceux des chercheurs qui pouvaient exercer leur spécialité à longue distance de leur objectif, n'avaient cessé de travailler.

Les télescopes, les radiotélescopes, les capteurs, les radars, les lasers, les antennes d'alarme, tout le matériel lourd d'observation dont disposait l'aviso avait été mis en batterie.

Des laboratoires automatiques, des robots-sondes et des analyseurs autonomes avaient été lancés dans l'espace.

Les mémoires électroniques de l'*Athos* s'étaient mises à digérer la masse de renseignements recueillis. Tout était classé, absorbé, répertorié, comparé, analysé par les calculatrices et les ordinateurs qui ne cessaient de cliqueter et de cracher leurs cartes perforées.

Une atmosphère de ruche régnait à bord du navire.

Des journées durant, Goldenberg avait été invisible, tant il était accaparé par un labeur de tous les instants. A mesure que les observations affluaient, il reconstituait, dans une sphère d'espace apparent créée tout spécialement pour cela, de minuscules globes de matière virtuelle qui gravitaient autour d'un petit soleil orange dont la teinte virait parfois au rouge, parfois au jaune.

De son côté, l'équipage ne chômait pas.

Outre leurs heures de quart aux instruments et l'entretien du navire, les cosmonautes procédaient au lancement et à la récupération des sondes, au maniement des télescopes et à la mise en état du module d'exploration rapprochée. Les observatoires mobiles avaient déjà recueilli assez de renseignements pour se faire une idée précise de l'organisation céleste que l'expédition avait la charge d'explorer.

La première conférence se tint dans le carré principal attribué aux scientifiques.

Comme au début d'un cours, le professeur Goldenberg considéra l'assistance réunie et s'éclaircit la voix en toussotant dans son poing.

— Vous êtes tous au courant, déclara-t-il, d'une partie des découvertes que nous avons effectuées depuis que l'*Athos* est sur son orbite. Pour ma part, outre mes recherches astronomiques personnelles, j'ai procédé, grâce à l'ordinateur, à la synthèse des renseignements que vous avez recueillis chacun dans vos secteurs respectifs. C'est à un bref résumé de cette synthèse que je compte procéder maintenant.

Il se leva et, majestueux sous son opulente chevelure blanche, il s'approcha du pupitre où était installée la portion translucide d'espace apparent. On y voyait, gravitant dans le vide autour de la reproduction étincelante du soleil Angus, le modèle réduit des neuf planètes du système.

— Nos recherches directes, dit-il, confirment les observations des sondes : le système d'Angus a cette particularité étonnante de res-

sembler comme un frère jumeau à celui de
notre soleil d'origine. Tout y est : à quelques
millions d'années près, même âge relatif de
l'étoile, même masse, même radiations, même
énergie. Ses neuf planètes ressemblent, à s'y
méprendre, aux neuf planètes du soleil de la
Terre.

Il agrandit la sphère d'espace apparent,
désigna les quatre premiers corps célestes qui
orbitaient autour de la source lumineuse et
poursuivit :

— Angus IX, Angus VIII et Angus VII
sont de même composition que Pluton, Neptune et Uranus. Angus VI possède le même
anneau que Saturne, et Angus V autour de
laquelle nous orbitons actuellement est une
fidèle réplique de Jupiter.

Le professeur Goldenberg fit une pause. Il
réfléchit, se mordilla la lèvre inférieure et dit :

— Pour la commodité de mon exposé, et
en raison de leur très proche parenté avec les
corps célestes qui orbitent autour de notre
soleil d'origine, je vous propose donc de ne
plus dire Angus IX, VIII ou VII, mais Pluton II, Neptune II et Uranus II.

Il désigna l'étincelante planète auréolée de
son cortège de satellites dont l'éclat emplissait
le hublot, et poursuivit :

— Il en est de même en ce qui concerne
Angus V que nous appellerons Jupiter II. Par
ailleurs, puisqu'une fraction de hasard dans la
mécanique céleste a voulu que le nombre de
planètes de ce système, leur rotation et leur
situation, soient les mêmes que chez nous,

nous pourrons désigner celles que nous n'avons pas encore approchées par les noms de Mars II, Vénus II et Mercure II.

Ici, il marqua un temps d'arrêt, quêta une approbation sur le visage du commandant Jasmard et reprit d'un ton plus hésitant :

— Il n'est que pour la troisième planète que je n'oserai utiliser le terme de Terre II, car j'aurais l'impression de commettre... une sorte de sacrilège. Nous la nommerons tout simplement Angus III.

Après avoir hoché la tête, il reprit :

— Pourtant, les conditions nécessaires à la naissance et à l'évolution de la vie y sont réunies. Masse, âge, atmosphère, chlorophylle, carbone, acide nucléique, tout semble y être rassemblé comme chez nous.

Son visage était grave, et sa voix exprimait une émotion contenue. Il insista.

— Apparemment, et pour autant que nous puissions en juger à cette distance, Angus III apparaît comme une copie de notre bonne vieille Terre.

Le silence régnait sur la petite assemblée. Chacun, qu'il fût savant ou cosmonaute de métier, ne pouvait s'empêcher de former dans son for intérieur les plus folles hypothèses sur la nature des espèces animales et, pourquoi pas, humaines qui vivaient à sa surface.

— Nous sommes impatients, reprit Goldenberg, d'explorer Angus III, car ce n'est qu'après avoir mis le pied sur son sol que nous saurons si nous pouvons l'appeler légitimement Terre II. Mais il existe ici un autre

mystère, à la fois semblable et tout différent
de celui sur lequel les spécialistes de l'évolution du système solaire se sont cassés la tête
depuis que le monde est monde.

Il se leva, poussa l'agrandissement de la
sphère d'espace apparent jusqu'à la limite de
visibilité et plongea un crayon à l'intérieur de
la reconstitution de l'organisation stellaire
d'Angus. L'extrémité du crayon, qui avait pris
une teinte fluorescente, désignait un espace
vide entre le quatrième et le cinquième corps
céleste, soit entre Jupiter II et Mars II.

— Vous savez tous, dit-il, qu'en vertu de
la loi de Bode, les distances des planètes à
leur soleil croissent selon une progression géo-
métrique régulière qui leur fait apparaître un
trou entre Mars et Jupiter. Là où, logiquement,
il devrait y avoir une planète, il n'y a rien...
Ou, plutôt, chez nous, il y a une ceinture d'astéroïdes constituée par Pallas, Junon, Eros,
Vesta, etc. dont nous n'avons jamais pu déterminer si elle était le fait d'un cataclysme tel
que l'explosion d'un astre ou si, au contraire,
il s'agit de matériaux cosmiques que des perturbations inconnues auraient empêchés de se
constituer en un astre unique...

Goldenberg agita le crayon dans le vide de
la boule d'espace apparent.

— Le même trou existe aussi dans le système d'Angus ! déclara-t-il d'une voix forte.

Il coupa la projection, revint s'asseoir sur
son siège et, après un moment de réflexion,
il poursuivit :

— Seulement, ici, il n'existe pas de ceinture d'astéroïdes ! C'est là la seule différence capitale que nous ayons pu déceler entre ce système et le nôtre.

L'importance de l'information était telle que les savants et les cosmonautes réunis autour du vieil astronome avaient tous des visages d'élèves studieux et attentifs. Pas un seul n'interrompit le cours silencieux des pensées de Goldenberg qui reprit, après s'être recueilli :

— Pourtant, tous mes calculs l'attestent, il *existe* entre Mars II et Jupiter II, une planète ! Elle se refuse à toute observation directe ou indirecte. Nous ne pouvons la voir, ni la photographier, ni analyser son spectre, mais elle détourne nos signaux laser et détruit nos radiosondes...

C'était tellement invraisemblable que le gros Ganon ne put s'empêcher de s'exclamer :

— En somme, vous prétendez qu'il y a là une planète transparente !

— Je comprends, fit Goldenberg d'une voix douce, combien une telle hypothèse peut heurter vos convictions bien établies de zoologue ! Mais les calculs mathématiques ont autant de réalité que les animaux extra-terrestres chers à vos études ! Je vous répondrai donc qu'il existe entre Mars II et Jupiter II un corps dont la masse avoisine le tiers de celle de la Terre, mais dont la matière est invisible et d'une nature totalement inconnue !

Il redressa le buste, secoua sa chevelure blanche et lança un coup d'œil en direction de Jasmard.

— Le mystère que représente cet astre est

si fascinant que je propose de l'élucider avant
de mettre le cap sur Angus III dont l'exploration reste, bien entendu, le but essentiel de
notre mission.

En d'autres termes, le chef du groupe scientifique demandait au commandant de prendre
le risque d'approcher son vaisseau d'un corps
dont on ignorait la nature et dont il n'était
pas impossible qu'il fût constitué d'anti-
matière !

Jasmard ne répondit pas tout de suite,
mais, dans la conversation générale qui suivit,
il perçut l'enthousiasme qu'éprouvaient les
scientifiques à l'idée d'observer un phénomène
jamais vu dans le cosmos connu. Elisabeth Erl
elle-même semblait passionnée par les révéla-
tions de Goldenberg. Quant à l'équipage,
Carlsberg en tête, il faisait déjà des projets
pour inventer une procédure de mise en orbite
autour d'un astre invisible ! Seuls Ganon et
Bohl, en tant que zoologue et botaniste de
l'équipe, ne montraient qu'un intérêt limité
pour un sol sur lequel aucune espèce animale
ou végétale n'avait pu se développer.

— Commandant, demanda Goldenberg,
quelle est votre décision ?

Tous les regards se tournèrent sur Jasmard
qui finit par répondre :

— En admettant qu'elle existe, cette planète mystérieuse se trouve sur la route que
nous devrons prendre pour rallier Angus III.
Je ne vois donc pas d'inconvénient majeur
à stopper les machines entre Jupiter II et
Mars II. Mais j'ajoute que l'*Athos* devra tou-

jours se tenir en deçà des limites de sécurité !

Il se demandait si sa décision n'allait pas exposer l'aviso et ses occupants à des dangers imprévisibles, mais il était, lui aussi, prodigieusement intéressé par la découverte du professeur. Pourtant, au fond de lui-même, un pressentiment lui disait que la mission de l'*Athos* ne serait pas de tout repos.

CHAPITRE IV

Pour imaginer le corps singulier qui gravitait entre Mars II et Jupiter II, il faudrait pouvoir se représenter un astre de la taille de Mars, éloigné de cinq cents millions de kilomètres de son soleil, dont l'existence ne serait attestée que par les échos déformés des radars et les déviations de rayons laser ! Son analyse spectrale était rebelle à toute interprétation cohérente, mais une teinte rosée réfléchissait, au ras de son horizon, les rayons obliques d'Angus.

Les hommes de service aux commandes et aux machines durent pourtant se rendre à l'évidence : ses propulseurs débranchés, l'*Athos* subissait l'attraction de cette mystérieuse planète, transparente comme du cristal !

— Rétrofusée frontale, ordonna Jasmard, force six !

Délicatement, Kowalsky manœuvra la molette crantée de la tuyère de stabilisation. Il appuya sur la touche qui libérait l'énergie dans les canalisations inversées et annonça :

— Rétrofusée frontale en action. Force six, une seconde, deux secondes, trois...

— Stop !

Kowalsky relâcha la pression de son doigt et répéta :

— Stop.

Sur le voyant latéral du panneau hémisphérique, les deux aiguilles frétillaient, à si courte distance l'une de l'autre qu'on avait du mal à les distinguer. Au centre de l'écran des coordonnées orbitales que diffusait la calculatrice, deux chiffres identiques, l'un rouge et l'autre bleu, se juxtaposèrent jusqu'à ne plus former qu'un seul signe de couleur brune. Quand les deux aiguilles s'immobilisèrent et se confondirent, Chlang dit :

— Stabilisation ! Machines principales arrêtées.

D'un seul geste de ses dix doigts, Kowalsky bascula les dix clefs de contact du pupitre des machines.

— Puissance zéro !

L'aviso ne disposait plus, pour maintenir sa position, que des accumulateurs et des piles à combustible. On ne percevait plus la moindre vibration dans les structures de l'astronef.

— Cerveau navigation ? interrogea Jasmard.

Il y eut trois brefs cliquetis. Sous le carter transparent de la calculatrice de pilotage, les disques magnétiques se mirent à tourner. Moins de cinq secondes après, la voix de Carlsberg se fit entendre dans l'intercommunicateur.

— Orbite circulaire. Altitude vingt-huit mille sept cents mètres.

— Direction ? fit la voix de Jasmard.

Il y eut un moment de silence, puis la voix du navigateur :

— Si vous croyez que c'est facile de déterminer les pôles et l'équateur d'une planète invisible !

Les disques magnétiques avaient repris leur course rapide et saccadée derrière leur carter vitré. Quand elles s'arrêtèrent, on entendit de nouveau le navigateur.

— Apparemment, nous devons faire un angle de trente à trente-trois degrés avec l'équateur supposé de cette satanée planète !

— Altitude ? demanda le commandant.

— Constante.

— Arrêtez tout !

— Accumulateurs coupés, répondit Kowalsky.

— Ejection énergétique stoppée, annonça Chlang.

Jasmard essuya la goutte de sueur qui, de son front, s'écoulait le long de son nez. Enfin, il bascula la clef de pilotage manuel et redressa le buste. Il prit le temps de respirer avant de donner ses ordres.

— Procédures de sécurité ! Concentrez l'énergie nécessaire à une mise à feu de secours ! Faites ingurgiter à la calculatrice les coordonnées d'un programme de mise à feu en catastrophe et d'un plan de vol d'urgence ! Fournissez le tout au cerveau-navigation. Que l'équipe de quart reste à son poste !

Aussitôt, Carlsberg le remplaça derrière le pupitre de pilotage, et Kowalsky prit la place de Chlang au panneau hémisphérique.

Jasmard prit le temps de contempler les écrans où l'on distinguait, infime ligne courbe où se reflétaient les rayons orangés du soleil, l'horizon du globe transparent. Il hocha la tête et revint vers le micro de l'intercommunicateur par lequel il se mit en communication avec le carré principal.

— Professeur Goldenberg, appela-t-il, je crois que vous avez gagné ! Il existe bien une planète entre Mars II et Jupiter II. Elle est aussi transparente qu'une boule de verre, mais nous avons pu utiliser son attraction pour nous placer en orbite autour de sa surface en pilotage sans visibilité.

Goldenberg apparaissait sur le tube du vidéo, le cheveu ébouriffé, l'œil allumé par l'excitation.

— Commandant, dit-il d'une voix altérée par l'émotion, au nom de mes collègues, je vous adresse toutes nos félicitations.

— Je propose, fit Jasmard, que nous baptisions cette planète invisible *Golthos... Gol* pour Goldenberg qui l'a découverte, et *thos* pour *Athos*.

Plus ému qu'il ne voulait le paraître, le professeur bredouilla :

— Merci, commandant. Maintenant, mes collègues et moi allons observer Golthos, et je vous jure qu'elle nous livrera tous ses secrets !

Quand il eut coupé la communication, le commandant Jasmard était soucieux. Il espérait que le professeur Goldenberg pourrait réaliser ses ambitions, mais l'astre singulier au-dessus duquel ils s'étaient arrêtés ne lui inspirait aucune confiance.

*

**

Il fallut régler les téléobjectifs au maximum de leur puissance pour discerner, sur l'horizon courbe et à peine distinct de Golthos, les paillettes d'argent que faisait jaillir le rayonnement solaire. Cela formait, sur le fond obscur et constellé d'étoiles, une ligne irréelle aussi fine qu'un trait de plume dessiné au compas avec une encre rose pâle. Il s'en dégageait une infime luminescence.

La planète, pourtant, était là, à quelques centaines de kilomètres à peine de l'ellipse où se mouvait l'*Athos* ! C'était une masse parfaitement sphérique qui ne dissimulait rien de la Voie lactée que sa présence aurait dû masquer aux observateurs. A peine pouvait-on remarquer que, lorsqu'elle formait écran entre l'aviso et les constellations sur lesquelles le robot-navigation prenait ses points de repère, un léger parallaxe détournait les rayons des étoiles les plus lointaines.

Il n'y avait pas un homme, à bord de l'*Athos,* qui ne fixait, à travers les hublots, les télémètres, les télescopes ou les écrans vidéo, l'image immatérielle et difficilement discernable de cette rotondité transparente.

— Je viens de fouiller toutes les bobines magnétoquartz, grommela Carlsberg, nulle part il n'est fait mention d'un astre de ce type !

L'officier avait beau poser la question de cinquante manières différentes à l'ordinateur, les mémoires de la calculatrice restaient désespérément muettes. Les seules réponses qui tombaient sous forme de rubans magnétiques ou de cartes perforées, une fois traduites en clair par les lecteurs électroniques, disaient invariablement : « Je ne dispose pas d'éléments de référence suffisants pour recouper vos informations. Veuillez formuler vos questions de manière plus précise. »

Mais quelles informations précises fournir à un ordinateur, quand l'objet même de l'étude se refuse aux observations traditionnelles ? On savait que Golthos était une réalité, et que sa matière était transparente. On pouvait même mesurer sa circonférence et déterminer sa masse à l'orbite du navire et à l'attraction qu'il subissait. Mais sa nature même interdisait toute investigation optique directe !

Les radars renvoyaient des échos aberrants et les lasers divergeaient. Les analyses spectrographiques butaient sur le vide. Les sondes, en dépit de leur programme de pilotage automatique aller-retour, se perdaient dans le vide sans que l'on puisse déterminer leur trajectoire. A vrai dire, on suivait les laboratoires robots jusqu'à la surface présumée de la planète hypothétique où l'on perdait leur trace, comme si Golthos les dissolvait, les digérait, ou modifiait leur trajet en les dissimulant derrière un écran imperméable aux appareils d'observation de l'*Athos*.

— Commandant, dit Goldenberg à Jasmard qui s'était penché une fois de plus sur la batterie des lecteurs, le mystère de Golthos est plus profond que nous n'aurions jamais pu l'imaginer. Nous *devons* nous rapprocher encore afin d'effectuer une observation directe !

La voix du savant vibrait. On sentait que le vieux professeur n'en pouvait plus de cette quête lointaine qui ne menait à rien, et qu'il était prêt à toutes les imprudences pour satisfaire sa curiosité.

— Monsieur le professeur, répondit Jasmard, vous n'imaginez tout de même pas que je vais exposer l'*Athos* à je ne sais quel danger pour vous permettre de regarder l'invisible de plus près !

Goldenberg se mordit les lèvres. Il insista.

— Y a-t-il un seul renseignement fourni par l'ordinateur ou les antennes d'alerte qui signifie, de près ou de loin, qu'un danger quelconque nous menace dans ces parages ?

— Non.

— Le signal d'alarme s'est-il allumé une seule fois ?

— Non, admit encore Jasmard.

— Pouvez-vous donc affirmer qu'il est dangereux de choisir une orbite plus basse et d'envoyer le module d'exploration en reconnaissance ?

Jasmard empila devant lui le tas de cartes perforées pour se donner le temps de répondre.

— Je n'en sais rien, professeur. Mais une chose est sûre : nous nous trouvons devant

l'inconnu, devant une chose qui échappe non
seulement à notre entendement et à nos sens,
mais aussi à nos appareils... J'estime que toute
tentative pour nous approcher à courte distance de Golthos constituerait un risque dont
nous n'avons aucune idée !

Pour couper court, il tourna le dos au
savant et partit à grandes enjambées vers la
salle de navigation où Carlsberg poursuivait sa
conversation muette avec le cerveau-navigation.

— Alors, Carlsberg, du nouveau ?

Le navigateur releva la tête de ses appareils.

— Rien, commandant.

— Bon Dieu ! fit Jasmard. Il doit bien y
avoir quelques références dans nos fichues
mémoires qui pourraient nous mettre sur la
voie d'une explication à l'existence de Golthos !

— Désolé, commandant, fit Carlsberg avec
une moue dubitative, mais je crois que nous
sommes les premiers hommes confrontés avec
un mystère de ce genre.

— Il n'y a pas de mystère absolu dans l'espace, dit durement Jasmard.

Carlsberg resta pensif un long moment,
puis il proposa de sa voix traînante :

— Pourquoi ne pas donner satisfaction à
Goldenberg en envoyant une mission de reconnaissance à bord du module ?

De mauvaise humeur, le commandant laissa
Carlsberg à ses recherches pour se diriger
vers la salle des machines.

Entre les dix rangées des canalisations et

l'accélérateur dont la masse de métal mat trônait au centre de la pièce, les deux officiers mécaniciens vérifiaient les programmes des robots de mise à feu.

A l'arrivée de Jasmard, Chlang se contenta de se gratter la joue avant de se remettre au travail. Quant à Kowalsky, il prit le temps de considérer la mine soucieuse du chef de l'*Athos* et de s'essuyer les doigts avant d'annoncer :

— Tout est paré, commandant. Au moindre signe suspect capté par les antennes de surveillance, l'ordinateur déclenchera automatiquement la mise à feu des tuyères auxiliaires. En moins de trois secondes, l'*Athos* aura fait un bond d'une centaine de milliers de kilomètres dans l'espace pour se mettre à l'abri de Golthos...

On devinait à son regard tranquille qu'il avait appliqué les mesures de sécurité par simple conscience professionnelle, et que l'astre mort dont les contours se devinaient à peine sur les écrans vidéo ne l'inquiétait pas outre mesure.

Il reposa son chiffon, releva sur sa nuque la casquette de cosmonaute aux larges bords qui ne le quittait jamais, et ajouta :

— A propos, commandant, je suis volontaire pour piloter le module de reconnaissance si vous décidez de l'envoyer sur ce satané globe.

Ainsi, la proposition du professeur Goldenberg avait fait son chemin, non seulement dans l'esprit des chercheurs, mais aussi dans celui des membres de l'équipage ! Jasmard garda le silence un moment, ne répondit pas directement à Kowalsky, et se tourna vers le médecin en second.

— Et vous, Chlang, que pensez-vous de Golthos ?

Avec son laconisme coutumier, celui-ci répondit en levant une seule épaule :

— Sans doute un bloc de glace qui erre dans l'espace, commandant.

Une fois de plus, Jasmard ressentit à quel point l'homme sur lequel reposent la sécurité d'un astronef et la responsabilité d'une mission d'exploration peut être seul. Il enfonça les mains au fond de ses poches et se dirigea vers le carré principal où il trouva les scientifiques au travail autour de Goldenberg. Sur les écrans d'observation luisait la lumière réfléchie par la matière de Golthos.

Un instant avant, il avait décidé, au risque de paraître lâche, d'interdire toute observation rapprochée du mystérieux corps céleste; mais il reçut en plein visage l'éclat du regard d'Elisabeth Erl. Il y brillait un intérêt si intense pour l'énigme devant laquelle ils étaient confrontés qu'il sentit sa résolution vaciller.

— Commandant, insista Goldenberg d'une voix vibrante, nous sommes ici sept savants, tous spécialisés dans les sciences de l'espace. A part les professeurs Ganon et Bohl qui, en tant que botaniste et zoologue, se moquent de Golthos, nous estimons tous qu'une exploration de la surface de l'astre autour duquel nous orbitons s'impose.

En levant la tête, Jasmard s'aperçut qu'il recherchait le regard de la doctoresse. Il y lut une sorte d'espoir.

— Très bien, dit-il. Si, d'ici à vingt-quatre heures, les antennes de surveillance n'ont capté aucun indice de danger, nous raccourcirons l'orbite pour lancer le module d'exploration.

CHAPITRE V

A mesure que l'*Athos* descendait, la substance diaphane de Golthos apparaissait de plus en plus clairement.

A cinquante mille kilomètres, on eût dit une gigantesque bulle de savon, un ballon sans consistance qui errait dans l'espace. A vingt mille kilomètres, on vit les rayons du soleil ricocher sur sa surface et la teinter d'une faible lueur ocrée. A dix mille, on put distinguer, à l'œil nu, une sorte de masse, terne et opaque, qui constituait son noyau !

A bord de l'aviso, il y eut un moment d'hésitation. Fallait-il stopper les machines, choisir une autre orbite, remettre tous les instruments d'observation en batterie pour étudier ce phénomène nouveau ? Goldenberg et Jasmard échangèrent un regard.

— S'il s'agit réellement d'un noyau central, dit le professeur, sa densité doit être colossale.

Et si un corps d'une telle densité existait

réellement dans l'espace, il eût déjà dévié la course de l'astronef ! Au lieu de cela, tout se passait comme si Golthos était une planète comme les autres. Son attraction était celle qu'avait calculé l'ordinateur et la prise de contact s'annonçait sans autre problème que celui de la visibilité.

Les antennes d'alarme qui ne cessaient de balayer le ciel ne captaient pas la plus infime indication. Rien n'indiquait qu'un péril attendait le vaisseau.

A neuf mille kilomètres, avec les seuls instruments télémétriques, on put évaluer le diamètre du noyau ; et l'on aperçut les premiers étirements, blafards et sans épaisseur, qui flottaient, en altitude, au-dessus de la surface externe, transparente et lisse comme un miroir.

— On dirait des nuages ! s'exclama Kowalsky.

— Invraisemblable, répondit en écho la voix de Goldenberg. Il n'y a ici ni atmosphère, ni vapeur d'eau, ni océan... Ce doit être un effet d'optique, un niveau où, pour une raison inconnue, se condense la lumière réfléchie du soleil...

Les dents serrées, les yeux rivés sur les écrans, Jasmard ne répondit pas. Il attendait que le programme de vol d'approche se déroule tel qu'il avait été ingurgité par le cerveau-navigation. En pilotage automatique, tous ses robots prêts à le propulser à des milliers de kilomètres de là au moindre signe suspect, l'*Athos* poursuivait sa lente, interminable et prudente descente.

Goldenberg ne cessait de marcher de long en large dans l'étroite salle des cartes. Un tic nerveux étirait le coin de sa bouche...

Et, soudain, l'un des *nuages* que l'on distinguait l'instant d'avant *sous* l'*Athos* apparut *au-dessus* de l'aviso !

— C'est impossible ! s'exclama Gossein.

— Impossible mais vrai, grommela Kowalsky qui réglait le flux d'énergie dans les tuyères de freinage. Nous avons traversé ce nuage comme une simple feuille de papier, exactement comme s'il n'avait aucune épaisseur !

— Voyons, fit Goldenberg, il n'est pas pensable que nous ayons...

Il n'acheva pas sa phrase et ce fut le commandant Jasmard qui murmura entre ses dents :

— Je crains fort, professeur, que nous n'arrivions, en fait, dans le domaine de l'impensable.

Il n'exprima pas toute sa pensée et ne dit pas qu'il craignait que la science de Goldenberg soit incapable d'analyser les lois du monde vers lequel se dirigeait l'*Athos*. En l'absence de toute réaction des antennes d'alarme, il n'avait aucune raison de faire rebrousser chemin à l'aviso, mais il accueillit avec soulagement la voix du navigateur qui résonna dans l'intercommunicateur.

— Altitude présumée cinq mille cinq cents. Les moteurs d'approche sont stoppés. Les fusées de freinage nous maintiennent à un niveau constant.

Il y eut un moment de silence au cours duquel tous ceux qui étaient groupés autour des hublots panoramiques et des écrans de la salle d'observation restèrent muets de stupéfaction. Ils fixaient, d'une part la faible luminescence qui matérialisait la surface de Golthos au-dessus de laquelle s'étiraient, comme du papier diaphane, les *nuages* qui flottaient entre le navire et le sol, et, d'autre part, une autre couche de ces mêmes *nuages* que l'aviso avait traversée sans que personne n'ait aperçu le moindre signe de leur présence sur les écrans !

— Point de stabilisation, fit encore la voix du navigateur. L'*Athos* est sur une orbite circulaire à cinq mille mètres au-dessus d'un endroit présumé fixe...

Il se racla la gorge et ajouta, comme s'il s'excusait :

— Je ne peux en dire plus pour le moment car je ne dispose d'aucun point de repère sur le sol.

Jasmard eut beau embrasser, d'un seul coup d'œil, tous les instruments de contrôle reliés aux appareils d'observation et aux antennes de sécurité, les cadrans restaient obscurs. Aucune lumière ne se mettait à clignoter. Aucune sonnerie ne grésillait pour signaler un danger quelconque.

— Il faut descendre plus bas, dit Goldenberg.

— Pas question, répliqua Jasmard. Nous avons atteint la limite de sécurité. L'*Athos* ne perdra plus un centimètre d'altitude !

Pour la première fois, on put percevoir un changement dans l'atmosphère qui emplissait la salle d'observation où étaient réunis les passagers de l'aviso. Etait-ce de soulagement ou de dépit ?

Le commandant Jasmard ne s'en préoccupa pas. Il appuya sur la touche de l'intercommunicateur et demanda :

— Dispositif de sécurité ?

— Tout est paré, commandant, répondit la voix de Chlang.

Goldenberg se tourna vers Jasmard.

— Alors, commandant, fit-il d'une voix presque suppliante, le module d'exploration ?

Jasmard inclina la tête à regret. Il répondit :

— Dans vingt-quatre heures, si nous n'avons rien décelé de nouveau sur le sol de Golthos, le module d'exploration pourra quitter l'*Athos*. Il sera piloté par Kowalsky qui aura pour mission d'installer un laboratoire-relais entre trois mille et deux mille mètres d'altitude. Il pourra ensuite se livrer à un bref survol de la planète et lancer une sonde foreuse. Il devra impérativement regagner l'aviso dès qu'il aura recueilli le premier échantillon en provenance de Golthos !

— Commandant, s'exclama alors Goldenberg, en tant que responsable scientifique de la mission, j'ai non seulement le droit mais aussi le devoir de participer à cette première expédition !

— Moi aussi, fit Gossein en se rapprochant des deux hommes. Je suis géologue, bon sang !

A ce titre, je dois examiner les prélèvements de la roche transparente de cette planète !

En dépit de sa prudence, Jasmard ne put s'empêcher d'éprouver une certaine admiration envers les deux savants prêts à risquer leur vie pour satisfaire leur passion de la découverte. Il haussa les épaules et, d'un air las, leur répondit :

— Comme vous voudrez. Mais rappelez-vous qu'à bord du module, Kowalsky sera le maître après Dieu !

Il pensait que l'officier mécanicien saurait rester lucide quoi qu'il advienne.

* *
* *

Le lugubre sifflement des décompresseurs se fit entendre derrière les valves du sas. Cela ressemblait à un bruit de succion, au halètement d'une respiration saccadée et chuintante sortie d'une gorge monstrueuse. On eût dit que l'*Athos* rejetait une partie de son oxygène pour aspirer goulûment le vide de l'espace.

Vingt-quatre heures s'étaient écoulées sans que la planète transparente ait livré le moindre de ses secrets. Le commandant tenait sa parole en autorisant le départ de la mission de reconnaissance rapprochée.

Quand le docteur Erl eut terminé son examen et fixé, à même la peau de Goldenberg, de Gossein et de Kowalsky, les divers appareils qui lui permettraient de vérifier, tout au long de leur descente, la tention artérielle, le rythme cardiaque, les ondes cérébrales et l'in-

flux nerveux des explorateurs, ceux-ci revêti-
rent leurs lourdes combinaisons spatiales.

Jasmard vérifia lui-même la fixation de
sécurité de leurs casques et le fonctionnement
de leur alimentation en oxygène.

Carlsberg était de service aux commandes,
et Chlang assurait la permanence dans la salle
des machines. Les membres du groupe scientifique avaient été priés de rester dans le carré
principal d'où ils pourraient assister, par les
écrans ou les hublots, au départ du module
d'exploration et à son lent cheminement vers
la surface de Golthos.

Quand Goldenberg d'abord, Gossein ensuite,
et enfin Kowalsky eurent tendu leurs mains
gantées de nylon et d'acier au commandant et
à la doctoresse, et qu'ils se furent introduits
dans la valve du sas, Jasmard et Elisabeth,
inconsciemment, se rapprochèrent l'un de l'autre.

— Leur condition physique est parfaite, dit-
elle d'une voix professionnelle. En dépit de son
âge, le professeur Goldenberg est capable de
supporter l'accélération d'un retour en catastrophe du module. Gossein est un homme
solide et en bonne santé. Quant à Kowalsky,
il a un cœur d'acier et des nerfs à toute
épreuve.

Jasmard inclina la tête.

— C'est Golthos qui me fait peur, dit-il
entre ses dents. Comprenez-vous cela, Elisabeth ?

C'était la première fois qu'il l'appelait par
son prénom. Elle tourna la tête vers l'écran

où luisait faiblement la matière translucide de
la planète et répondit dans un souffle :

— Vous avez peur de Golthos parce que
vous êtes responsable de l'*Athos* et de toutes
les vies qui sont à bord. En ce qui me concerne, cet astre me fait frémir d'une crainte
irraisonnée, un peu comme si c'était un fantôme de planète.

Un frisson désagréable serpentait le long de
son dos. Elle se reprit et ajouta aussitôt :

— Mais nous n'avions pas le droit de passer aussi près de l'inconnu sans tenter de
l'élucider. Quoi qu'il arrive, commandant, nul
ne pourra jamais vous reprocher d'avoir pris
un risque inconsidéré.

Elle eût aimé l'apaiser, le rassurer, car elle
le sentait tendu et crispé. Mais le silence qui
avait suivi la puissante respiration des décompresseurs créait à son tour une nouvelle appré-
hension. Par le communicateur à ondes courtes,
la voix de Kowalsky se mit à égrener les procédures de sortie du module.

Arriva enfin le moment fatidique où, tra-
ditionnellement, le chef de bord d'un véhicule
auxiliaire sollicite du commandant la permis-
sion de décoller.

— Ici, Kowalsky aux commandes du module. Tout est paré à bord. Je demande l'autorisation d'appareiller.

D'une voix blanche, Jasmard répondit simplement :

— Accordée !

Par les écrans branchés sur les caméras de
coque, on assista alors au départ de l'engin.

On eût dit que l'astronef, son ventre béant sur l'espace, accouchait d'une minuscule réplique de lui-même. A dix mètres du vaisseau, comme s'il était encore maintenu par un invisible cordon ombilical, le module se mit à tanguer. Puis une buée grise jaillit de ses tuyères. Il décrivit une légère courbe et se mit à descendre, en spirale, vers le sol de Golthos.

CHAPITRE VI

Les commandes bien en main, le dos soudé au dossier du siège, Kowalsky se sentait à l'aise, sûr de lui, maître de son appareil qui obéissait aux moindres des sollicitations de ses paumes. Il était heureux de piloter le premier engin habité qui se soit dirigé vers un corps céleste aussi étrange que Golthos ! Pour un peu, il aurait considéré la présence de Goldenberg et de Gossein, assis derrière lui sur les fauteuils des passagers, comme importune.

Il fixait le sol transparent de la planète et voyait, à travers lui, son noyau central, gros comme un quart de la lune, qui absorbait les rayons du soleil dans les réfléchir. Il se demanda si Golthos n'était pas un univers inversé, un monde concentré sur son propre centre avec, autour, une sorte de pellicule sphérique qui en marquait les limites. Il trouva la question à ce point ahurissante qu'il n'osa pas la formuler à haute voix et se mit à siffloter.

Si son analyse était exacte, la planète transparente n'avait pas de sol, ni de surface, puisque sa membrane extérieure n'était que l'envers de son propre espace ! Cela voulait-il dire que toute prise de contact était impossible ? Les cheveux de Kowalsky se hérissèrent sur sa nuque.

Du module, on ne pouvait apprécier l'altitude que par rapport à celle qu'avait déterminé l'ordinateur de l'*Athos*. A trois mille mètres environ, Kowalsky arrêta son appareil pour larguer le laboratoire automatique où étaient rassemblés les relais des instruments d'observation de l'aviso. Son programme de vol réglé à l'avance, l'observatoire inhabité se mit à descendre en décrivant de grands cercles. Il allait se stabiliser à mille mètres au-dessus du point où le module devait frôler le sol. Par son intermédiaire, Jasmard et tous les savants restés à bord de l'astronef pourraient suivre, en gros plans, chacun des mouvements des explorateurs dès leur prise de contact avec la surface.

Kowalsky se retourna pour cligner de l'œil à ses compagnons, mais il ne vit, à travers la bulle de leurs casques, que leurs regards étrangement brillants. Les deux hommes semblaient hypnotisés par le sol, lisse comme un miroir sans tain, vers lequel ils se dirigeaient. Le chef mécanicien haussa les épaules sous la carapace de son scaphandre et brancha la radio.

— Allô ! l'*Athos,* appela-t-il. Ici, Kowalsky. Le laboratoire autonome est installé sur orbite fixe, à mille mètres environ à la verticale du point que je vais essayer de survoler. Avez-vous des instructions à me transmettre ? Répondez !

— Ici, l'*Athos*, fit aussitôt la voix de Jasmard. Les instruments du bord n'ont pas encore capté les signaux émis par les appareils du labo. Descendez doucement et ne vous posez pas avant d'en avoir reçu l'autorisation. Terminé.

Dans le poste de commandement de l'*Athos*, Carlsberg réglait maintenant les premières images retransmises par les caméras de l'observatoire autonome automatique. On y voyait se former, sur la surface du globe, d'étranges dessins géométriques dont on avait l'impression qu'ils se composaient et se modifiaient sans cesse.

Martha Hill, la géophysicienne du bord, se mit à observer la texture des mystérieux *nuages* qui flottaient en altitude. Elisabeth Erl suivait, sur les cadrans reliés aux électrodes fixées sur le corps des trois occupants du véhicule d'observation, leurs réactions physiologiques et mentales.

— Commandant ! s'exclama Carlsberg. Regardez !

Grâce aux puissants téléobjectifs des caméras du laboratoire automatique, on vit se créer, sur la surface translucide et tendue comme celle d'un ballon gonflé d'oxygène, deux lignes sombres qui traversaient la planète d'un horizon à l'autre. Elles étaient droites, infinies et rigoureusement parallèles !

A son tour, Martha Hill qui ne cessait de scruter ses propres instruments s'écria :

— Regardez, commandant !

Sur les écrans que contrôlait la géophysi-

cienne, on apercevait distinctement les fameux
nuages déjà repérés la veille. Mais on les
voyait maintenant du niveau du laboratoire
automatique qui traversait leurs couches juxta-
posées. Or, il suffisait de modifier l'angle des
caméras d'une fraction de degré pour que
ceux-ci, nettement visibles l'instant d'avant,
disparaissent totalement quand l'objectif les
fixait à l'horizontale !

Ainsi s'expliquait le phénomène auquel ils
avaient assisté, à bord de l'aviso, quand celui-
ci avait traversé la couche la plus élevée : on
avait vu le *nuage* avant que l'*Athos* ne
l'aborde. Puis on l'avait revu après, de l'autre
côté du navire. Mais on n'avait rien vu *pendant* la traversée de la couche nuageuse, bien
que l'astronef descendît alors à très petite
vitesse !

— Vus du dessus, s'exclama la géophysicienne, ces nuages semblent exister. Vus du
dessous aussi. Mais on ne peut les voir de
l'intérieur, pour la bonne raison qu'ils n'ont
pas d'épaisseur ! Ils sont infiniment plats !

Jasmard frémit.

— Kowalsky, demanda-t-il dans le micro, le
module a-t-il déjà traversé une formation nuageuse ?

— Oui, répondit dans le haut-parleur la
voix du chef mécanicien. Je suis en plein
dedans en ce moment même... Ou, du moins,
je devrais me trouver au cœur de la formation...

— Que voyez-vous ?

— C'est drôle, fit Kowalsky. Je viens d'arrêter le module. Le nuage devrait nous englo-

ber, sa diagonale se trouvant approximative-
ment à la hauteur de mon hublot. Eh bien !...

— Poursuivez, Kowalsky !

— Le professeur Goldenberg pourra mieux
vous expliquer que moi...

A bord de l'aviso, la tension était extrême.
Un pan du voile se levait sur le mystère de
la planète transparente, mais nul ne voulait
encore y croire.

— Kowalsky a réussi à immobiliser le module au centre d'un de ces nuages, expliqua
Goldenberg. Comme il vous l'a dit, sa ligne
médiane devrait se trouver actuellement au
milieu de notre hublot. Or, si je le regarde
par-dessus, je vois nettement sa surface supérieure irisée qui reflète la lumière. Si je le
regarde *par-dessous,* en me baissant de quelques centimètres à peine, je vois une surface
semblable, peut-être un peu moins brillante.
Mais si je le fixe exactement à l'horizontale
de l'endroit où il se trouve, je ne vois rien.
Absolument rien !

Il y eut un moment de silence. Puis le professeur reprit d'une voix grave :

— Ces choses, ces nuages... eh bien ! cela
n'a aucune épaisseur ! Ce sont des phénomènes à deux dimensions !

— Kowalsky, fit Jasmard, où en sont les
voyants de vos antennes d'alarme ?

— Au vert, commandant. Aucun danger à
signaler.

— Nous descendons, fit la voix de Goldenberg. A tout à l'heure.

Aussitôt, on entendit le son caractéristique

de la clef de contact radio que l'on venait de
basculer à bord du véhicule d'exploration.

— Commandant, dit Elisabeth Erl, il y a
quelque chose de bizarre.

Le visage levé vers ses cadrans, la jeune
femme désignait une ligne de lumière jaune
qui frétillait au centre des tubes analyseurs.

— Qu'est-ce que cela veut dire ?

— Je ne sais pas. Peut-être une simple perturbation dans les transmissions... Les ondes
mentales émises par les cerveaux de Goldenberg, de Gossein et, à un moindre degré, de
Kowalsky, viennent de subir une curieuse atté-
nuation.

— Expliquez-vous !

— Je ne peux rien dire de plus. Le cas
ne s'est jamais produit auparavant.

Une fois de plus, Jasmard s'empara du
micro et appuya sur le contact.

— Ici, le commandant de l'*Athos*. J'appelle
le module. Kowalsky, me recevez-vous ?

Il répéta trois fois son appel et ce fut
Chlang qui dit, de sa voix calme :

— Ils ont coupé la communication, commandant. Nous ne pouvons plus entrer en
contact avec eux.

** *
***

La même folie de la découverte qui s'était
emparée de Goldenberg et de Gossein attei-
gnait maintenant Kowalsky.

Il avait vu le geste du professeur quand
celui-ci avait coupé la communication par

ondes courtes entre le module et l'aviso. Etrangement, et bien qu'il fût un homme discipliné, il n'avait pas osé rétablir la liaison, de crainte de recevoir l'ordre de rentrer à bord de l'*Athos*.

Ebloui par la lueur que réfléchissait Golthos dont il ne pouvait plus détacher les yeux, fasciné par cette immensité plate comme une vitre dont on ne savait si elle était une réalité ou une illusion, l'officier mécanicien ressentait l'appel silencieux qui émanait de l'horizon dont la courbure s'élargissait à mesure que le module perdait de l'altitude. C'était un peu, comme dans un rêve, la révélation d'un paysage à la fois merveilleux et terrible, vers lequel on marche sans pouvoir s'arrêter...

A voir les lignes parallèles tracées sur le sol comme avec une règle et un crayon géants et les figures géométriques qui se faisaient et se défaisaient sans cesse, Kowalsky ressentait un sentiment intense et trouble. Il avait peur, mais ses angoisses lui causaient un étrange plaisir. Il savait maintenant que rien au monde ne pourrait le faire rentrer à bord de l'astronef !

Quand il posa le module sur le sol, il n'avait qu'une idée en tête : sortir de l'habitacle, se coucher sur le sol et caresser du plat de la main la matière de Golthos dont son inconscient lui disait qu'elle devait être tiède et douce, palpitante comme la peau d'une femme...

Gossein et Goldenberg éprouvaient-ils le même désir irrépressible ? Quand le sas s'ouvrit, les trois hommes se bousculèrent dans l'étroite ouverture de la porte.

Ce fut Goldenberg qui sauta, le premier, sur le sol.

Il partit en courant, droit devant lui, franchit l'une des deux parallèles grises entre lesquelles s'était posé le véhicule.

Une fraction de seconde, il ressembla à un gros automate malhabile, engoncé dans un scaphandre de métal, qui marchait dans le vide. Puis, très vite, il devint aussi transparent que le sol de Golthos et disparut.

Gossein s'était arrêté au pied de l'échelle de coupée où il avait sauté à son tour. Il resta un moment aussi immobile qu'une statue, le bras tendu dans la direction que Goldenberg avait prise l'instant d'avant. Son casque se retourna lentement et Kowalsky put voir l'expression de ses yeux. Il y flottait une lueur de stupéfaction.

Là où était parti le chef de la mission scientifique de l'*Athos,* on ne découvrait que l'horizon sans limite, transparent, et infiniment plat. A l'endroit précis où avait disparu le professeur, une multitude de lignes droites et courbes, de couleur terne, glissaient en tous sens. Certaines s'assemblaient entre elles, créant de bizarres figures géométriques.

A son tour, Kowalsky sauta sur le sol qu'il sentit dur et ferme sous les semelles d'acier des sabots de son scaphandre. Dans le module, on entendait les grésillements de la radio et les mots incompréhensibles que leur lançaient les membres de l'*Athos.* Trop préoccupés, subju-

gués par ce qui venait de se passer devant eux,
ni Gossein ni Kowalsky n'y prirent garde.

Les deux droites infinies et parallèles entre
lesquelles avait atterri le module formaient une
sorte d'avenue. On eût dit une *voie* qui courait d'un bout de l'horizon à l'autre, traversant toute la surface cristalline de la planète.

Prudemment, Gossein fit un pas en avant.
Il se baissa, décrocha de sa ceinture un petit
marteau de prospecteur et l'abattit sur le sol.
Aussitôt, de l'endroit qu'il avait frappé, jaillirent les lignes d'une rosace compliquée.

Le géologue mit la main sur le dessin de
la rosace, sentit qu'il n'avait aucune épaisseur
et que son coup de marteau n'avait en rien
modifié le sol rigoureusement plan. D'autres
lignes naquirent du néant, vinrent s'assembler
à la périphérie de la rosace qu'elles complété-
rent pour former un cercle qui se mit à tourner
sur lui-même, puis à glisser vers l'extérieur de
la voie tracée par les deux bandes parallèles.

Eberlué, Gossein posa ses deux mains par
terre comme pour tenter de retenir l'étrange
image qui s'était formée à ses pieds. Mais rien
ne put arrêter la rosace dans son lent déplace-
ment, et Kowalsky put assister aux mouvements
désordonnés que fit le savant pour la retenir.

Toujours à quatre pattes, Gossein suivait la
rosace qui glissait sous lui, sans un heurt, sur
le cristal de Golthos... Quand elle franchit le
bord de la *voie,* le savant la poursuivait encore
comme s'il ne pouvait renoncer à laisser
s'échapper la création abstraite qu'avait engen-
drée son coup de piolet.

Dès qu'il franchit à son tour la parallèle sans relief de la *voie,* son scaphandre parut frappé d'une bizarre luminescence.

Paralysé par la stupeur, Kowalsky comprit alors que l'armure spatiale du savant ne brillait pas, mais devenait à son tour transparente ! A travers la triple carapace d'acier et de nylon, il vit le corps nu du savant... Puis on distingua ses organes, son squelette et le réseau de ses veines...

On eût dit, l'espace d'un instant, un spectre qui reposait sur le néant...

Enfin, tout devint flou, se dilua, se fondit dans cette absence totale d'aspérités qui luisait sous le soleil du mystérieux système d'Angus.

En moins de trente secondes, le corps de Gossein, son scaphandre, ses vêtements et ses instruments s'étaient volatilisés. Tout avait fondu dans les deux uniques dimensions de Golthos ! Simplement, à l'endroit qu'avait atteint le géologue dans sa poursuite de la rosace, des lignes s'agitaient, formant des triangles, des carrés et des cercles. Quand plusieurs figures se réunissaient, elles faisaient des hexagones, puis des polygones et des assemblages de plus en plus complexes. Au centre, une étoile à cinq branches semblait palpiter. Kowalsky sentit sa raison vaciller.

Au bord du gouffre de l'incompréhension absolue, terrifié par ce monde infiniment plat qui absorbait la troisième dimension pour la digérer, s'en repaître et enfanter une population de figures géométriques abstraites, il fit demi-tour pour remonter à bord du module et mettre les gaz vers l'*Athos.*

Mais les deux bandes parallèles entre lesquelles le véhicule s'était posé venaient de se déplacer de quelques mètres.

A l'écart de leur zone de protection, la structure métallique du module tardait à disparaître, à se diluer dans cet impensable univers qui ne connaissait ni hauteur ni épaisseur. La membrure de l'appareil luisait encore sur l'horizon sans limite, comme une ossature irréelle, mais Kowalsky savait que, déjà, elle n'était plus à même d'offrir une prise à ses doigts ou un support à ses pieds.

A son tour, la vie mécanique de l'appareil se fondait dans la deuxième dimension de Golthos qui la digérait, l'absorbait et la restituait en losanges, triangles, polygones et cercles. Toutes ces figures tournoyaient sur le vide de la surface diaphane où se recomposait le diagramme transposé de ce qui avait été un module d'exploration spatial !

Désemparé, Kowalsky leva les yeux vers le ciel. Il vit le point brillant du laboratoire automatique dont les caméras ne devaient cesser de le fixer, mais nulle trace de l'*Athos* dont l'altitude était trop élevée.

Désespéré, à demi fou de solitude et de vertige, il partit à pas lents sur la *voie,* cette avenue rectiligne que traçait, sur le gigantesque globe de cristal, les deux bandes grises que scrutaient, en ce moment même, tous les membres de l'équipage de l'aviso de reconnaissance immobilisé sur son orbite.

CHAPITRE VII

Sur les consoles du laboratoire médical de l'*Athos* où étaient rassemblés les appareils reliés aux corps des explorateurs, deux des trois réseaux d'écrans, de tubes, de thermomètres, de cadrans, s'étaient éteints.

Seul luisait et scintillait encore faiblement le troisième réseau, celui sur lequel la doctoresse suivait les réactions de l'organisme du premier mécanicien Kowalsky, plongé dans le milieu étranger de Golthos.

En dépit de tous ses efforts, Elisabeth Erl ne put plus obtenir la moindre indication sur la tension artérielle, le rythme cardiaque, la température ou l'influx nerveux du professeur Goldenberg et du géologue Gossein. Les instruments étaient morts, les aiguilles à zéro, les colonnes de mercure dans leurs logements de base. C'était un peu comme si les deux hommes n'avaient jamais existé !

Dans la salle de contrôle, en revanche, et

sur les écrans vidéo de la chambre de navigation relayés par le laboratoire automatique qui stationnait toujours à la verticale du point où avait disparu le module et deux de ses occupants, on distinguait toujours la minuscule silhouette de Kowalsky qui cheminait entre les deux grands traits parallèles tracés sur la planète transparente.

Rendus muets par l'émotion, les membres de l'équipage et du groupe scientifique paraissaient pétrifiés. Le premier, Jasmard rompit le silence.

— Dispositif de sauvetage ! ordonna-t-il à Carlsberg et à Chlang.

Le navigateur se racla la gorge avant de répondre :

— Nous ne disposions que d'un seul module, commandant.

Jasmard se retourna tout d'un bloc. Il grommela d'une voix dure :

— Activez les batteries du canot de sauvetage !

Carlsberg ne répondit pas qu'une tentative de sauvetage entreprise de cette altitude, avec un simple canot ne disposant pas d'instruments de vol perfectionnés, serait vouée à l'échec. Il régla la netteté de l'image retransmise par le laboratoire automatique avant de murmurer :

— Je crois que c'est inutile, commandant.

Il désigna un écran sur lequel Jasmard se pencha. On y voyait distinctement, à plusieurs kilomètres de là, Kowalsky qui, las de lever la tête vers le ciel, s'était approché de la

limite grise de la mystérieuse *voie* formée sur
le sol de Golthos par les deux parallèles.

Pour une raison inconnue, tout objet ou
tout être qui s'écartait de ces lignes était irrémédiablement avalé par ce monde à deux
dimensions. Kowalsky, semblait-il, avait compris ce phénomène. On le voyait hésiter à la
limite de la frontière impalpable, tendre un
pied en avant, mais le ramener vivement en
deçà de la ligne. Parfois aussi, il prenait des
attitudes de plongeur, comme s'il s'apprêtait à
se lancer dans l'inconnu pour en finir plus
vite avec son cauchemar !

Depuis la disparition de Goldenberg et de
Gossein, puis du module, Kowalsky avait évité
de les franchir, soit d'un côté, soit de l'autre,
comme s'il avait su d'instinct qu'il s'agissait
d'une barrière entre la vie et la mort. Pourtant,
il semblait bien que ses pas, irrésistiblement,
l'entraînaient en dehors de cette *voie*.

Au risque de sa vie, Jasmard avait décidé
de tenter le tout pour le tout, et d'essayer de
repêcher Kowalsky à bord de la minuscule
embarcation de secours qu'il comptait piloter
lui-même. Mais Chlang avait prévu son geste.

Le second mécanicien avait quitté la salle
des commandes, revêtu un scaphandre, activé
l'accumulateur du canot, et verrouillé la porte
du sas. Par radio, il appela Jasmard et
déclara :

— Désolé, commandant, mais les portes
sont fermées. Ce n'est pas votre rôle de piloter un esquif de sauvetage. J'y vais.

Jasmard eut beau s'efforcer de faire bascu-

ler le lourd panneau du sas, il n'y parvint
pas. Moins de cinq minutes plus tard, la
petite embarcation se détachait de l'*Athos* et
piquait droit dans la direction du laboratoire
automatique. De là, Chlang comptait se laisser tomber en feuille morte jusqu'au sol où
errait son camarade Kowalsky. En s'immobi-
lisant à basse altitude, il allait essayer de lui
lancer un harnais magnétique pour le remor-
quer ensuite jusqu'à l'aviso.

Il savait combien l'entreprise était péril-
leuse, et n'ignorait pas qu'il n'avait pratique-
ment aucune chance de réussir. Mais il estimait que, là où ne restait qu'une infime lueur
d'espoir de sauver un homme, c'était à lui,
simple officier mécanicien, de risquer sa vie,
et non à Jasmard sur les épaules de qui repo-
saient les chances de survie de toute la mission.

A bord de l'astronef, ils n'étaient plus que
sept : Jasmard et Carlsberg pour l'équipage ;
Elisabeth Erl, Ganon, Bohl, Gassama et Martha Hill pour l'équipe scientifique. Sept êtres
humains qui assistaient, impuissants, à la lutte
qu'un homme allait mener pour tirer son
semblable de l'horreur d'un monde impensable où rien n'existait que l'infiniment plat.

*
* *

Kowalsky ne savait plus depuis combien de
temps il avait quitté l'astronef.

Il avançait entre les deux traits parallèles
de la *voie*, d'une démarche d'automate, le

regard rigide et le dos courbé. Tourner la
tête à droite, tourner la tête à gauche, il y
avait beau temps que, pour lui, ces gestes
avaient perdu toute signification ! De temps à
autre, il scrutait encore l'horizon, droit devant
lui ; mais partout s'étirait le sol éblouissant de
Golthos, aussi plat qu'un miroir !

Quand la voie s'était déplacée et que le
module avait commencé à se dissoudre, il
s'était interrogé sur ses chances de regagner
l'*Athos*. Depuis, il évitait de se poser des
questions. Il ne se retournait même plus.

Front baissé, têtu, il puisait dans sa seule
opiniâtreté le pouvoir de répéter à l'infini le
seul geste qui gardait pour lui un semblant de
signification : marcher, mettre un pied devant
l'autre, aller vers ce quelque chose qu'il
souhaitait et craignait tout à la fois, mais qui
ne pouvait pas ne pas ressembler à un destin
d'homme...

La surface était si transparente que, sans
les lignes qui l'encadraient, il eût pu se croire
pendu dans le vide. Cette sensation, jointe à
son vertige, était parfois si forte qu'il chassait
le cauchemar en éprouvant du talon l'*existence* du sol à travers lequel brillaient les
étoiles du bout de l'univers. Parfois aussi, il
s'efforçait de fixer le noyau central de l'étrange
sphère de cristal. Sûr de n'être pas nulle part,
il repartait alors, aux aguets du moindre changement de direction de la *voie,* car la sournoi-
serie des lignes l'avait rendu méfiant.

Au début, quand la *voie* hésitait, quand
elle s'animait et oscillait comme une aiguille

de boussole avant de prendre un nouveau cap, *avec lui pour pivot,* il avait cru perdre la raison.

Ensuite, il eut beau se chercher des points de repère : aussi loin que portait son regard, seul existait ce désert incolore et luisant où s'échelonnaient quelques lignes plus courtes. Mais il ne pouvait les voir que d'une distance relativement proche, en vue plongeante. On eût dit des rayures sur la surface d'une glace, des morceaux de droites disposés en désordre et dont certains formaient des figures géométriques. Longtemps, il s'était dirigé à quarante-cinq degrés d'un triangle ; jusqu'au moment où, l'image s'étant disjointe, chacun de ses côtés avaient glissé dans une direction différente.

Peu après la disparition de Goldenberg et de Gossein, quand le module avait commencé à se fondre dans la lumière, Kowalsky avait compris que, sous aucun prétexte, il ne devait sortir du chemin rectiligne. Il avait alors voulu rebrousser chemin. Il s'était retourné de l'autre côté et avait été pris d'un immense vertige, car les deux traits s'étaient interrompus à la perpendiculaire de ses pieds ! Passerelle l'instant d'avant, la mystérieuse avenue avait alors évoqué un tremplin tendu sur le vide.

Devant lui, de chaque côté, derrière, s'étendait un sol poli et miroitant sous un crépuscule rose.

Il croqua sans appétit une tablette nutritive et suça une bande de papier désaltérant. Ivre de silence, il voulut se concentrer sur les données de la situation, et découvrit combien il est malaisé de réfléchir quand les yeux ne fixent aucun obstacle. Comme son regard, ses pensées glissaient et ricochaient sur le sol lisse et diaphane !

L'absence de tout support lui donna la nausée. Il se dressa, avala une pastille de phosphore et consomma le tiers de sa provision de papier à boire.

Il tenta de rassembler un à un les morceaux de ses souvenirs : la découverte de l'étrange planète, l'*Athos,* la descente du module, le largage du laboratoire automatique, la sublimation de Goldenberg et de Gossein. Il y avait combien de temps de cela, quelques secondes ou quelques siècles ?

Un instant, il se demanda si le temps ne l'avait pas rattrapé, dépassé, peut-être, s'il n'allait pas au-devant du module qu'il avait laissé derrière lui, et si Goldenberg et Gossein n'allaient pas apparaître soudain à quelques pas de là...

Une fois encore il leva les yeux vers l'espace, n'aperçut qu'un immense tissu d'étoiles sous une voûte laiteuse où il n'y avait aucune trace de l'astronef. Pourtant, des semblables, des hommes, des amis qui se trouvaient quelque part parmi les étoiles, se préoccupaient de son sort. Malgré son espoir insensé, il savait qu'il ne reverrait jamais le monde des humains !

Les larmes aux yeux, il s'assit, posa les deux mains sur le sol, le caressa.

Il n'y avait ni vent, ni bruit, ni couleur, ni odeur. Il ne ressentait ni fraîcheur ni chaleur.

Il n'était ni bien ni mal. Ses sensations elles-mêmes étaient reléguées à l'état de notions !

Il y avait le vide et cette passerelle, la *voie*, ces deux lignes qui ne formaient aucune aspérité, que rien ne révélait à ses paumes. Au loin erraient quelques traits qui se groupaient en losanges et en carrés. Ils attiraient son regard, et il se sentait sur le point de leur envier leur liberté de lignes, leur légèreté, leur absence de fatigue... Mais une ligne peut-elle exister ? L'infiniment plat peut-il vivre ? Où était-il ? Golthos existait-elle ? Et lui-même ?

Comme tout astronaute en opération, il possédait une arme, un pistolet classique à tir rapide qu'il sortit de son étui et contempla longuement. Entre ses mains, l'arme avait une bonne couleur noire. C'était l'unique objet, l'unique référence concrète qu'il pouvait contempler et qui ne fut pas l'un de ses propres membres. Car, déjà, il se prenait à considérer ses mains. Parfois, il les levait devant son visage, les tournait en agitant les doigts. Elles existaient ! Avec une main, on peut toucher son autre main, empoigner ses pieds, se faire mal... C'est rassurant mais limité. Or, il devenait indispensable que son regard butât enfin contre un obstacle indépendant de son propre corps, car il *devait* retrouver la notion de distance !

Il étendit le bras, poussa son pistolet devant lui et le regarda glisser, sans un bruit, sans un heurt, au-delà des frontières de la *voie*...

Couché sur le ventre, il prit son menton

entre ses mains et le fixa. Une lueur de reconnaissance brillait dans son regard. Noire, longue et fine sur le sol blême, l'arme luisait faiblement. C'était chaud et bon à regarder,
c'était vrai, réel, cette tache qui flottait sur
rien mais qui vivait, un peu moins nette qu'au
début, un peu grise, un peu floue...

Kowalsky se frotta les yeux. Le pistolet
était de moins en moins net, de plus en plus
gris. Déjà, la mince lanière de cuir de la dra-
gonne accrochée à la crosse s'était évaporée.
Un contour diaphane tremblait autour du
canon. Le chargeur et la culasse devenaient
soyeux, transparents.

Face à la lente disparition de son arme, il
se dressa, rugit, serra les poings et fonça,
glissa, tomba, la saisit à pleines mains avant de
fuir aussi vite qu'il le put vers le refuge de
la *voie* !

Autour de lui, de courtes droites se matérialisaient sur le sol. Elles semblaient vibrer
lorsque, allant de l'une à l'autre, elles s'assemblaient en triangles ou en étoiles pour se sépa-
rer l'instant d'après et recomposer de nouveaux dessins. Et, soudain, il eut conscience
de donner lui-même naissance à de nouveaux
traits ! Les carrés et les hexagones, les cercles
et les triangles émanaient de son propre corps
qui se démenait tant qu'il le pouvait pour
retrouver la sécurité de la *voie,* mais qui glissait toujours et se révélait incapable de se
mouvoir !

Kowalsky sut que, comme Goldenberg et
Gossein, sa chair et son esprit allaient être

absorbés par la deuxième dimension ! Une
terreur sans nom s'empara de lui.

Sous le casque de son scaphandre, sa bouche s'ouvrit pour un grand cri qui ne parvint
pas à ses oreilles. Il enfonçait dans un univers
d'inexistence où les sons eux-mêmes n'avaient
pas de sens !

Une dernière fois, il leva le visage vers le
ciel et aperçut, droit au-dessus de lui, le canot
de sauvetage. Un bref instant, il reprit espoir,
puis il comprit que ceux de l'*Athos* allaient
se perdre pour le sauver.

A travers son gantelet métallique, il apercevait déjà ses doigts, sa chair et ses os ; mais
le dur métal de son armure était encore
solide. Instinctivement, il trouva le commuta-
teur de son appareil de radio individuel, à la
base de son casque. Il le fit basculer et cria
de toute sa force, dans le micro du casque,
avant d'être gommé de la surface de Golthos
et digéré par la planète :

— Fuyez ! Fichez le camp ! Vous êtes en
danger et l'*Athos* aussi !

Il n'eut aucune conscience du cataclysme
qu'engendrèrent ses paroles, et qui secoua Golthos.

L'explosion fut pourtant d'une violence
inouïe. De la planète invisible, elle se réper-
cuta dans l'ensemble du système d'Angus.

CHAPITRE VIII

A bord de l'*Athos,* ce fut soudain le noir,
un tourbillon de secousses et de vibrations,
la chute libre dans un univers chaotique et
sans fond... Un souffle jailli du bout de l'infini avait aspiré l'astronef pour l'entraîner
dans son sillage comme un fétu de paille.

Malmené par les gigantesques remous d'un
orage interstellaire jamais traversé par les
hommes, l'aviso tremblait de toute sa cellule.

Propulsés à une vitesse fantastique dans le
cosmos, ses occupants n'avaient pu résister à
la colossale accélération déclenchée par les
tuyères et la puissance d'un phénomène cos-
mique dont ils n'avaient aucune idée.

Quand tout se calma, ce fut le calme profond de l'espace. L'obscurité régnait toujours
à l'intérieur du navire, et l'inconscience de ses
passagers se juxtaposait à la réalité de la
sirène d'alarme qui hululait, lugubre, dans un
silence que personne n'écoutait.

Ganon fut le premier à reprendre ses

esprits. D'abord, il ne comprit rien à ce qui
se passait, puis il se souvint qu'il avait eu la
chance d'être allongé sur une couchette anti
$K (G+g)$, au moment où l'événement s'était
produit. Hébété, il tenta de se mettre debout,
bascula aussitôt à la renverse comme si une
main douée d'une force herculéenne s'était
appuyée sur ses épaules.

Une douleur lancinante zébrait son crâne
d'une oreille à l'autre. Il avait beau écarquiller les yeux, il ne voyait que des ténèbres où
éclataient d'éblouissantes lumières colorées.
La poitrine serrée dans un étau, le zoologue
parvint à se mettre à quatre pattes. Une nausée le saisit mais il résista et, en se traînant
sur le sol, il put avancer en tâtonnant comme
un aveugle.

Quand il buta contre un corps étendu, la
sueur se mit à ruisseler sur son visage. Avec
des gestes malhabiles, il palpa les vêtements
de son compagnon et, au toucher, reconnut le
corps de Martha Hill qui gisait, inanimé.

Rampant toujours, le zoologue partit à
reculons vers ce qu'il croyait être le poste de
pilotage. Un court moment, il tourna en rond
dans la pièce exiguë. Il se cogna contre des
meubles métalliques, ramassa plusieurs
objets épandus sur le sol, tendit la main
devant lui et toucha enfin un pied.

Ses doigts remontèrent le long d'une che-
ville, puis d'une jambe revêtue d'une botte
réglementaire. Il ne distinguait toujours que
les fulgurantes lueurs qui trouaient l'obscurité et fouillaient sa tête de part en part.

L'homme qu'il étreignait était assis mais totalement immobile. Enfin, il sentit un muscle jouer sous le cuir de la botte et entendit une voix murmurer :

— Qui êtes-vous ?

Il répondit avec reconnaissance :

— Je suis Ganon. Que se passe-t-il donc, bon sang ?

Il fut surpris d'entendre sa propre voix aussi distinctement et ajouta d'un ton plaintif :

— Je ne vois rien ! Rien que des ténèbres étrangement lumineuses. Et j'ai mal à la tête. Dieu que j'ai mal !

Le bruit de la sirène d'alarme se mêlait toujours aux vibrations de l'astronef, perçant ses tympans d'élancements douloureux.

— Ne gaspillez pas vos forces en parlant, murmura Jasmard.

La voix du commandant, lente et hachée, parvenait au zoologue comme à travers un matelas de feutre.

— Pouvez-vous remuer ?

— Difficilement, répondit Ganon. J'ai l'impression qu'un poids de plusieurs tonnes s'appuie sur moi.

Durant un long moment, il n'entendit plus que la respiration saccadée de Jasmard. Enfin, le commandant parvint à dire :

— Levez la main au-dessus de mon genou. Vous allez rencontrer la consolette de pilotage. Au-dessus, à l'extrême droite du pupitre, vous allez toucher la clef de l'éclairage de secours. Basculez-la vers le haut.

En faisant des efforts démesurés, le gros zoologue parvint à se mettre à genoux. Il trouva la clef et la bascula.

Aussitôt, les éclairs lumineux qui dansaient devant ses yeux se dissipèrent. Quand son regard se fut accoutumé à la lueur que diffusait le plafond, il distingua, tout contre lui, la silhouette du commandant paralysé dans le siège de pilotage. Le visage de Jasmard était tordu par la souffrance. Seuls ses yeux semblaient vivre.

Ganon s'aperçut que, pour tourner la tête, il devait utiliser toute la force des muscles de son cou et de ses épaules. Il vit les instruments renversés, les sphères d'espace apparent brisées en mille morceaux, les corps de Martha Hill et de Gassama étendus l'un en travers de l'autre sur le plancher.

Derrière la baie du laboratoire médical, Elisabeth Erl était tassée sur elle-même, le visage aplati entre ses mains. Au-delà de la vitre de la chambre d'observation, on voyait le corps de Carlsberg allongé entre le cerveau-navigation et le meuble de la calculatrice de vol.

Enfin les lèvres se mirent à remuer sur le visage de Jasmard, et Ganon l'entendit marmonner.

— Au centre du pupitre, à droite des commandes, la troisième touche verte du deuxième clavier.

Tous les muscles de son visage étaient noués par l'effort qu'il faisait pour parler.

En levant le bras au-dessus du pupitre, le

zoologue eut l'impression de soulever une locomotive. Epuisé, le corps moulu, couvert d'une sueur aigre, il put enfin laisser retomber le doigt sur la troisième touche verte.

Instantanément, il retrouva son équilibre et put se mouvoir sans difficulté. Les dispositifs auxiliaires de gravité artificielle et de compensation anti K $(G+g)$ faisaient entendre leur ronronnement régulier.

Ganon se laissa tomber sur un siège en soupirant et regarda Jasmard qui commençait à déplier ses membres en grimaçant.

— Ce n'est pas le moment de vous laisser abattre, mon vieux ! Filez tout de suite dans le labo médical et ranimez le docteur Erl. C'est d'elle que nous avons tous le plus besoin en ce moment !

Ganon partit, avec le ravissement d'un amputé qui retrouve l'usage de ses membres, vers la salle vitrée où la jeune doctoresse avait été terrassée par la brutale accélération. Il avait l'impression de se déplacer avec aisance, à grandes enjambées, alors que, en réalité, il avançait à tout petits pas, comme un vieillard, en s'aidant de ses mains qu'il accrochait aux cloisons et aux meubles du poste de commandement.

Quand il parvint au but, il étendit la jeune femme sur le dos et entreprit maladroitement de lui faire la respiration artificielle. Au moment où les paupières d'Elisabeth battirent, il l'aida à se relever et la conduisit dans la cellule de réanimation.

Peu de temps après, la doctoresse se sentit

mieux. Elle prit conscience des événements qui s'étaient déroulés et, sans poser de question, s'employa aussitôt à prodiguer ses soins à Jasmard et à Ganon qui passèrent à tour de rôle sur la couchette de régénération où ils subirent un bain de rayons bienfaisants. Ils y traînèrent ensuite Carlsberg, Martha Hill et Gassama dont la peau noire avait viré au gris-cendre.

Quand les chercheurs, grâce à leur passage en cellule de réanimation et aux soins d'Elisabeth, se retrouvèrent en état de travailler, le commandant les rassembla autour de lui. Il était aux commandes de l'aviso dont on sentait, en dépit de tous les dispositifs de secours mis en action, les mouvements désordonnés.

— Avez-vous une idée de ce qui a pu se passer, commandant ?

Sans cesser de fixer les écrans sur lesquels Carlsberg s'efforçait de capter des images cohérentes, Jasmard répondit d'une voix sourde :

— Nous n'avons pas encore une vue complète de la situation. Mais une chose est certaine : nous venons d'échapper par miracle à l'anéantissement.

Il eut un bref regard pour le zoologue et ajouta :

— Si le professeur Ganon n'avait pas été allongé sur une couchette anti K au moment où s'est produit l'accident, nous ne serions pas ici à nous demander ce qui est arrivé.

— C'est insensé ! s'exclama Martha Hill. A vous entendre, nous venons d'échapper à la mort ; notre navire semble désemparé ; et vous ne faites rien !

Jasmard prit le temps de se passer la langue sur les lèvres avant de répondre :

— Pour le moment, madame, je n'ai rien d'autre à faire qu'à maintenir tant bien que mal l'*Athos* sur sa trajectoire à l'aide des commandes manuelles. Dès que Carlsberg aura pu déterminer notre position grâce à l'ordinateur et au cerveau-navigation, je m'efforcerai de régler le pilote automatique. Après seulement, nous pourrons faire l'inventaire des dégâts subis par l'*Athos*. Cette tâche sera longue, ajouta-t-il d'une voix douce, car nous ne sommes plus que deux cosmonautes à bord.

— Il faut excuser Martha, fit Elisabeth. Nous sommes tous un peu nerveux car nous avons subi un choc très rude, et aussi parce que nous ne comprenons pas grand-chose à notre situation.

— Moi-même, répondit Jasmard, je n'ai pas encore de certitudes. Tout ce que je puis vous dire, c'est que, depuis notre mise en orbite à basse altitude au-dessus de Golthos, tous les robots de décollage avaient reçu un programme de démarrage d'urgence. En cas de péril pour l'astronef, et bien avant que tout homme d'équipage n'ait eu le temps de réagir, ils devaient effectuer la manœuvre de mise à feu en une fraction de seconde. Ce sont eux qui viennent de nous propulser, d'un seul coup, à des centaines de milliers de kilomètres de Golthos.

— Vous voulez dire que, avant le départ de

Goldenberg, Gossein et Kowalsky, vous aviez donné des ordres pour régler les robots de navigation sur un programme de fuite ?

— C'est exact.

— Mais c'est horrible !

Le commandant inclina la tête.

— C'est Kowalsky lui-même, dit-il, qui a délibérément déclenché la réaction des robots. Et il l'a fait en toute connaissance de cause car il avait lui-même établi leur programmation. Souvenez-vous : dès qu'il a eu l'idée de brancher sa radio pour crier à Chlang qui se trouvait aux commandes du canot de sauvetage, que l'*Athos* était en *danger,* il savait ce qu'il faisait, car la mémoire des robots était réglée pour réagir non seulement à tout signe annonciateur de péril, mais aussi à la simple association des mots *danger* et *Athos* prononcés par une voix humaine.

Une nouvelle secousse ébranla l'aviso qui donna de la bande. L'éclairage de secours clignota. Sur le panneau hémisphérique devant lequel ne se tenait plus aucun mécanicien de service, un feu orange lança son signal intermittent. Du clavier de la console de pilotage qu'il ne pouvait quitter, le commandant stoppa les stabilisateurs bâbord, et le signal clignotant s'arrêta.

— Vous voulez nous faire croire, fit Martha Hill d'une voix blanche, que Kowalsky s'est sacrifié pour nous sauver ?

— Je n'en sais rien, répondit Jasmard, mais les derniers mots qu'il prononça, avant d'être avalé par ce monde à deux dimensions, ont déclenché automatiquement les fusées de l'*Athos*.

— Autrement dit, nous avons tous failli laisser notre peau dans l'opération parce que le programme des robots avait été mal calculé !

— Il n'en est rien, fit Jasmard avec un haussement d'épaules. Normalement, le décollage devait se faire bien en deçà de la force K et nous donner une accélération progressive de 0,2 à 0,6 $G+g$. Un phénomène simultané a dû intervenir.

La voix de Carlsberg se fit soudain entendre dans le haut-parleur relié à la Chambre de navigation.

— Commandant, s'exclamait le navigateur, Golthos a disparu !

Sur le panneau hémisphérique relayé par la console de pilotage, un nouveau signal d'avarie venait de s'allumer. Une sonnerie d'alerte bourdonnait dans les fonds du navire.

— Commandant, venez voir !

Jasmard isola les chambres des machines et brancha le système de pilotage automatique. A défaut des lampes-témoins dont le réseau avait été endommagé, il dut attendre plusieurs minutes pour constater que le robot de vol était encore en état de contrôler correctement les dispositifs de stabilisation du navire. Puis il se précipita, à la suite des autres occupants de l'aviso, vers les écrans d'observation que Carlsberg avait enfin réussi à activer.

On y voyait, sur l'orbite où gravitait la

planète transparente quelques minutes auparavant, une multitude d'astéroïdes suivis de
longues traînes de feu !

Elisabeth s'était rapprochée de Jasmard
dont le front était couvert de gouttelettes de
sueur.

— Qu'est-ce que ?...

— Golthos a explosé, répondit-il sombrement. Son noyau central s'est divisé en centaines de météorites qui orbitent autour du
soleil, entre Mars II et Jupiter II.

Il songeait à Goldenberg et à Gossein, à
Kowalsky et à Chlang qui, tous, avaient été
pulvérisés, et dont les âmes, peut-être, gravi-
teraient éternellement dans l'espace du système Angus.

— La déflagration a multiplié par x la
puissance de nos tuyères mises en route par
les robots, dit Carlsberg. C'est la raison pour
laquelle l'*Athos* a été éjecté, à une vitesse ver-
tigineuse, vers son orbite de secours. Sans
doute a-t-il été atteint par une pluie de météorites qui ont endommagé notre coque, les
antennes de nos instruments et, peut-être, la
machinerie.

Les yeux brillants et les lèvres tremblantes, Martha Hill s'était redressée. Elle fixait
Jasmard comme un coupable.

— Si le professeur Goldenberg était encore
en vie, fit-elle entre ses dents, il vous expli-
querait mieux que moi le phénomène dont
nous avons été victimes, mais je crois comprendre ce qui s'est passé. Golthos était un

monde à deux dimensions, un univers
inversé, enfermé sur lui-même et replié sur
un noyau de matière dense, vraisemblablement des neutrons. Autour de cet épicentre,
ce que nous avons pris pour la surface transparente d'une planète invisible, n'était en réalité qu'une gangue sphérique à demi
matérielle, la courbure de l'espace lui-même...
Cette sphère ne connaissait pas la troisième
dimension puisqu'elle n'était constituée que
d'une infime pellicule, totalement plate et
sans aucune épaisseur, donc extrêmement fragile. Tout objet, tout être vivant composé non
seulement d'une longueur et d'une largeur,
mais aussi d'une hauteur, qui se posait sur
elle, était nécessairement réduit aux deux premières dimensions.

— Vous voulez dire, s'exclama Ganon,
qu'en prenant contact avec la surface *extérieure* de la sphère, un être doué d'une hauteur était en quelque sorte aspiré par la
deuxième dimension ?

— Sans doute, le coupa la géophysicienne,
et je crois même pouvoir vous affirmer que la
hauteur de nos compagnons, c'est-à-dire leur
corps, a été restituée de l'*autre côté* du plan
formé par la pellicule sphérique à deux
dimensions. Autrement dit, en disparaissant,
Goldenberg et Gossein n'avaient pas été rayés
du monde des vivants ! Ils étaient tout simplement passés de l'*autre côté*. Ils se trouvaient
à l'*intérieur* de cet univers inversé dont le
noyau central formait en quelque sorte une
petite galaxie concentrée sur elle-même au

lieu d'être en expansion comme celles que nous connaissons.

En pointant le doigt vers Jasmard, Martha Hill poursuivit :

— En agissant comme il l'a fait, en faisant programmer les robots de décollage sur une mise à feu automatique, le commandant a pris une lourde responsabilité. Il a détruit cet univers extraordinaire, car c'est la chaleur des gaz dégagés par les tuyères du canot de sauvetage et de l'*Athos* qui a fait exploser la pellicule sphérique extérieure de Golthos, comme une cigarette fait éclater un ballon gonflé à bloc. Par la même occasion, il a tué Goldenberg, Gossein, Kowalsky et Chlang !

— Vous êtes folle, Martha ! s'exclama Elisabeth.

— Non, fit Jasmard, je crois que Mme Hill a raison. C'est la chaleur de nos gaz d'échappement qui a troué l'espèce de baudruche spatiale gonflée autour de Golthos. La puissance de la déflagration a dû dépasser l'imagination. En réalité, s'il y avait eu explosion et non, comme cela a dû se passer, implosion, l'*Athos* n'existerait plus !

— Ce que je ne comprends pas, fit Gassama, c'est la raison pour laquelle, entre les deux immenses traits parallèles qui formaient une sorte de ceinture autour de la surface apparente de Golthos, les objets et les êtres n'étaient pas aussitôt absorbés par la deuxième dimension ?

Martha Hill haussa ses maigres épaules.

— Cela, dit-elle, nous ne le saurons

jamais. Mais vous pouvez toujours laisser courir votre imagination et rêver d'une sorte de
bande de Möbius adaptée aux lois physiques
de ce monde étrange.

Elle allait poursuivre quand elle fut interrompue par Carlsberg qui n'avait cessé de
transmettre à la calculatrice les renseignements recueillis par ses instruments d'observation.

— C'est bizarre, dit-il sans quitter des yeux
l'écran central relié au grand télescope, les
morceaux du noyau de Golthos se sont disposés de manière semblable à celle de la ceinture d'astéroïdes de notre propre soleil.

Après un moment de silence au cours
duquel ils se penchèrent tous sur l'écran et
consultèrent les cartes de l'ordinateur, Gassama se redressa. Son visage noir était grave.
Il murmura comme pour lui-même :

— De là à penser que, jadis, dans le système de la Terre, un astronef piloté par des
êtres intelligents a fait exploser une planète à
deux dimensions, et que le cataclysme a donné
naissance à notre ceinture d'astéroïdes...

Il n'acheva pas sa pensée, mais tous restèrent silencieux devant la perspective qu'il
venait d'évoquer.

CHAPITRE IX

Sur la trajectoire où l'avait propulsé le flux de ses tuyères et l'effet boomerang de l'implosion de Golthos, l'astronef tanguait et roulait comme une barque dans un cylone. Il décrivait une orbite si large que les planètes et les étoiles, visibles à travers les hublots, paraissaient immobiles.

Mais était-ce encore un astronef, ou une simple épave ?

Pour se rendre compte des dégâts subis au moment de l'explosion, Jasmard avait installé Elisabeth Erl aux commandes du poste de pilotage. En compagnie de Carlsberg, il était parti dans les coursives qui menaient aux différents compartiments de la machinerie, isolés par les portes étanches que le signal d'alarme avait automatiquement condamnées.

Martha Hill avait été chargée d'observer le ciel et de déterminer les effets de la perturbation causée par la désagrégation de la planète transparente. Gassama avait reçu pour mission de fouiller les locaux réservés aux passagers et de rechercher Bohl, le botaniste dont on était sans nouvelles mais dont on pensait qu'il avait dû rester dans sa cabine au moment du déclenchement des accélérateurs. Quant à Ganon, il s'était installé dans la cambuse où il se restaurait tout en préparant un repas pour ses compagnons.

La première salle technique dans laquelle pénétrèrent le commandant et le navigateur, était celle des gyroscopes bâbord. Revêtus de combinaisons légères, leur compteur Geiger à la ceinture, les deux cosmonautes s'immobilisèrent devant les lourds appareils. Leurs axes délogés de leurs berceaux renversés d'un quart de degré, ceux-ci étaient arrêtés !

— Bon Dieu ! grommela Carlsberg. En plein vol, la réparation nous demandera plusieurs jours d'efforts !

— Tant que les gyros tribord tiennent le coup, fit Jasmard, l'*Athos* gardera son assise. Ce sont les machines qui m'inquiètent !

Les chambres des machines étaient situées dans la queue de l'appareil. Avec les accumulateurs, les générateurs, le propulseur et les réservoirs, elles occupaient plus des deux tiers du volume total de l'*Athos*. Jasmard en tête, ils enfilèrent l'étroite coursive, coupée tous les cinq mètres par des portes étanches qu'ils durent manœuvrer à la main et ouvrir à la force des poignets.

Le générateur auxiliaire était en bon état et ses accumulateurs chargés. C'était sur lui que reposait la stabilité actuelle du navire et son alimentation en courant. Rassurés sur ce point, les deux astronautes s'enfoncèrent plus profondément dans les œuvres vives du navire, là où, au cours d'un vol normal, aucun homme n'allait jamais. Il y régnait une chaleur d'étuve et une odeur d'huile.

L'alternateur fonctionnait toujours mais les instruments de contrôle indiquait une perturbation dans la distribution d'énergie. Ils le débranchèrent en se réservant d'effectuer une investigation plus complète de ses organes par la suite, car il fallait d'abord savoir si l'aviso était capable de reprendre de la vitesse. L'intention de Jasmard était de raccourcir son orbite et d'utiliser la force gravitationnelle des planètes d'Angus pour économiser le carburant.

Dès qu'ils franchirent la porte suivante, l'aiguille de leurs compteurs Geiger se mit à trembloter. Dix mètres plus loin, elle frôla la zone rouge, et les vibreurs firent entendre leur grésillement.

Le cœur des deux hommes se mit à battre plus vite dans leur poitrine. Ils abaissèrent la visière de leur casque, enfilèrent leurs gants, et s'employèrent à manœuvrer le levier de la cloison étanche. Son mince visage crispé par l'effort, Carlsberg transpirait à grosses gouttes.

Quand la porte se souleva enfin, le son des vibreurs atteignit l'aigu, et l'aiguille de leurs compteurs vint se loger à l'extrémité de la bande rouge.

— Il faut filer ! dit le navigateur entre ses dents.

Jasmard continua d'avancer.

— Nos combinaisons doivent résister une bonne dizaine de minutes à l'afflux des radiations !

Pour aller vérifier le grand générateur d'énergie ionique, celui qui permettait aux vaisseaux d'atteindre la vitesse translumnique à laquelle l'*Athos* devait nécessairement se lancer pour regagner la Terre en moins de quatre ou cinq siècles, ils devaient traverser la salle des piles atomiques. Ils s'élancèrent en courant... et butèrent sur la porte suivante !

Le lourd blindage d'acier avait résisté mais il n'était pas question de l'ouvrir : sous l'effet de la chaleur de l'accélération, ses gonds avaient fondu, et sa serrure s'était littéralement soudée au chambranle de métal.

— Dans moins de cinq minutes, répéta Carlsberg, nos combinaisons ne résisteront plus à la pluie de radiations atomiques. Il faut faire demi-tour !

Sans répondre, Jasmard inclina la tête. Il consulta son chronomètre et, calmement, fit le tour des piles avant de rebrousser chemin. Il repéra les deux éléments coupables de la fuite des radiations : leur revêtement blindé était fissuré de telle manière qu'il était impossible d'envisager une réparation, même de fortune, tant que l'aviso serait en vol.

Avant la fin de la neuvième minute, il partit en courant et rejoignit le navigateur qui repoussa la porte en manœuvrant la roue de verrouillage. Elle se referma avec un bruit sinistre dans leur dos.

Sans un mot, les deux hommes franchirent en sens inverse les autres portes qu'ils refermèrent derrière eux, en les condamnant.

Ils avaient le regard fixe et les lèvres serrées.

Dans le sas d'accès au compartiment atomique, ils se dévêtirent, jetèrent leurs combinaisons dans l'incinérateur, et firent une longue station sous la douche anti-radiations. Puis ils se dirigèrent vers les locaux d'habitation et les postes d'équipage situés dans le nez de l'aviso. C'était désormais la seule partie de l'*Athos* où des êtres humains pouvaient vivre sans risque de contamination !

Les chambres des machines inaccessibles, et l'aviso sans moyen de propulsion rapide, ils étaient voués à tourner sans fin dans le système d'Angus, à des millions de kilomètres de la Terre !

Ils retrouvèrent leurs compagnons d'infortune dans le poste de commandement. Elisabeth Erl était figée devant le pupitre de pilotage. Ganon grignotait une cuisse de poulet mais, malgré son appétit légendaire, il ne parvenait pas à avaler. Martha Hill braquait sur Jasmard son regard agressif, et Gassama soupirait lamentablement.

— Commandant, fit la géophysicienne de sa voix de crécelle, ce qui arrive est épouvantable !

Après ce qu'ils venaient de découvrir dans les soutes de l'*Athos*, Jasmard était prêt à accueillir avec sérénité n'importe quelle mauvaise nouvelle.

— Expliquez-vous, dit-il d'une voix lasse.

— Si le professeur Gassama en est capable, grinça la géophysicienne, il vous l'expliquera lui-même !

D'abord, l'éthologue leva sur les deux officiers un regard désemparé. Ses yeux luisaient comme deux billes blanches dans son visage dont la peau noire était empreinte d'une subtile teinte grise.

— Eh bien ! professeur Gassama, parlez !

Les épaules de l'éthologue s'affaissèrent. Il eut un long soupir et, les lèvres tremblantes, il se contenta de murmurer :

— Tournez-vous vers le hublot !

Jasmard et Carlsberg jetèrent un coup d'œil vers la baie ouverte sur le vide. Ils ne virent qu'un tapis d'étoiles et, plus proche, le globe orangé du soleil d'Angus...

Alors Gassama eut un rire fêlé. Il consulta le gros chrono Difor qu'il portait au poignet et, sans cesser de ricaner nerveusement, il ajouta :

— Attendez exactement trente-cinq secondes !

Jasmard haussa les épaules. Il s'approcha rapidement du pupitre de pilotage, vérifia qu'aucun nouveau signal d'avarie ne s'était allumé, sourit à Elisabeth Erl et enfonça les mains au fond de ses poches.

Personne ne se décidant à rompre le silence, au bout de trente secondes, il fit face au hublot.

Ce qu'il vit alors fit naître un frisson glacé au creux de ses reins.

A moins de dix mètres de l'astronef, éclairé de trois quarts par les projecteurs du bord, il avait vu apparaître le corps de Bohl, les membres étendus et la peau boursouflée par l'éclatement de ses vaisseaux sanguins gelés.

Le cadavre du botaniste tournait lentement autour de la coque de l'*Athos !*

— Quand le professeur Gassama a voulu se rendre dans la cabine du professeur Bohl, fit Martha Hill, il a buté contre une cloison étanche qui s'était fermée hermétiquement. M. Gassama a alors revêtu son scaphandre. Il est passé par le sas et a pu pénétrer dans la coursive de nos cabines. C'est alors qu'il a vu une longue déchirure dans la double cloison de la coque. Deux cabines, dont celle de notre pauvre compagnon, ont été défoncées par une météorite jaillie de l'explosion de Golthos. Bohl a été aspiré par le vide !

Et il avait été satellisé autour de l'*Athos,* sur une orbite qui le ramenait régulièrement devant le hublot d'observation !

— Carlsberg, demanda Jasmard, le canon du bord est-il en batterie ?

— Oui, commandant.

— Tirez sur le corps de Bohl !

Un silence glacial suivit ses derniers mots. Enfin Carlsberg tourna les talons et disparut dans la coursive.

Quand, un moment plus tard, on ressentit une légère secousse dans la cellule du navire, Ganon lui-même reposa la cuisse de poulet qu'il grignotait. Elisabeth leva brusquement les mains à son visage, et Martha Hill bondit sur ses pieds. Toutes griffes dehors, elle s'exclama :

— N'aurait-il pas été plus simple de récupérer le corps de notre camarade avant de mettre le cap sur la Terre ?

Jasmard attendit le retour de Carlsberg. Puis il s'assit et déclara d'une voix nette :

— L'*Athos* ne dispose plus que d'un petit radeau de sauvetage qu'il aurait été imprudent de mettre à l'espace en ce moment. D'autre part, nous ne pouvons pas rentrer sur Terre !

— C'est absurde, commandant ! Expliquez-vous !

— Les piles atomiques sont fissurées et l'accélérateur nucléaire hors d'état de fonctionner. Cela signifie que nous ne pouvons prendre de l'élan pour mettre en marche le générateur translumnique...

— Vous voulez dire que l'*Athos* n'est plus qu'une épave incapable de se diriger ?

La petite main d'Elisabeth était venue se loger dans celle du commandant qui lut dans le regard de la jeune femme tout l'espoir qu'elle mettait en lui. Jasmard redressa le buste et s'efforça de respirer calmement.

— Ce n'est pas tout à fait cela, dit-il. Il nous reste le groupe de propulsions auxiliaire et l'alternateur...

— Qui sont tout juste capables de nous communiquer une accélération de tortue ! Pour regagner la Terre avec cette vitesse, l'*Athos* mettrait des siècles !...

— C'est la raison pour laquelle nous n'allons pas rentrer sur Terre, fit Jasmard. Il nous reste assez d'énergie pour nous rapprocher d'une planète, freiner notre course et nous poser. Une fois au sol, nous pourrons accéder, par l'extérieur, à la chambre du propulseur ionique et, avec l'aide de Dieu, effectuer une réparation de fortune. Après seulement, nous pourrons penser à la Terre...

Les yeux de Martha Hill lançaient des éclairs. À bout de nerfs, la géophysicienne ne cessait de croiser et de décroiser les mains sur sa poitrine.

— Peut-on demander sur quelle planète vous comptez poser l'*Athos* ? Sur Mars II ?

Jasmard secoua la tête de droite à gauche.

— La pesanteur y est trois fois inférieure à celle de la Terre et il n'y a que des traces d'atmosphère. Les conditions seraient déplorables pour y effectuer une réparation difficile.

Une fois de plus, la géophysicienne se hérissa.

— En tant que remplaçante du professeur Goldenberg et chef de l'équipe scientifique, cria-t-elle, j'exige que...

— Madame Hill, la coupa calmement Jasmard, il n'y a plus ici un groupe scientifique et un équipage, mais deux cosmonautes professionnels et quatre apprentis. Si vous n'êtes pas disposée à obéir aux ordres du commandant de ce navire, je serais au regret de vous consigner dans votre cabine ! Cela dit, nous allons nous poser sur Angus III parce que la pesanteur convient à nos organismes et que nous pourrons y travailler dans des conditions acceptables !

Il n'ajouta pas que, en raison de la destruction des sphères d'espace virtuel, ils ne disposaient plus d'instruments de navigation subspatiale... et qu'il leur faudrait bien, pourtant, trouver un moyen de bâtir un plan de vol de secours.

Ganon avait déjà baissé la tête et Gassama se contentait de se curer les ongles d'un air méditatif. Quant à Elisabeth, son regard disait assez qu'elle était du parti de Jasmard.

Le commandant lui sourit, s'installa au pupitre et serra dans ses paumes les commandes manuelles. Il ordonna :

— Ganon, installez-vous au panneau hémisphérique et activez les accumulateurs des moteurs auxiliaires. Ce sont les deux leviers à tête rouge qui se trouvent au pied de la console.

Avant d'obéir, le zoologue reprit la cuisse de poulet qu'il avait posée devant lui puis, en la rongeant, il alla s'asseoir sur le siège du mécanicien de quart. Avec un soupir, il posa la main sur les deux leviers et attendit les ordres.

— Madame Hill, allez dans la chambre d'observation. Je présume que le maniement des radars et des lasers ne vous est pas inconnu. Ils vous serviront à repérer d'éventuelles météorites.

La géophysicienne se mordit les lèvres, tourna les talons et fit ce qu'on lui demandait.

— Carlsberg, ajouta Jasmard, donnez à la calculatrice les coordonnées d'Angus III.

CHAPITRE X

Cadrée au centre de l'écran de pilotage, Angus III ressemblait à une balle de ping-pong suspendue dans l'obscurité.

C'était un globe blafard, auréolé de contours bleutés, qui tournait lentement dans le grand silence de l'espace. Il en émanait une impression de tristesse et d'angoisse qui serrait la poitrine de ceux qui, à bord de l'aviso, étaient de veille devant les appareils d'observation.

Jasmard avait divisé sa petite équipe en deux groupes de quart. Le premier, commandé par Carlsberg, comprenait Martha Hill et Gassama. Il dirigeait le second, avec Ganon de garde au panneau hémisphérique, et le docteur Erl aux instruments.

Pour rallier la troisième planète du système que l'*Athos* avait reçu pour mission d'explorer, et qui luisait sur un fond de ténèbres comme une planche de salut, l'ordinateur avait calculé qu'il ne faudrait pas moins de huit journées terrestres en raison de la faible puissance des groupes de propulsion auxiliaires. Leur énergie n'étant pas inépuisable comme celle de l'accélérateur atomique et des moteurs ioniques, les lumières avaient été éteintes par mesure d'économie.

Seuls luisaient les écrans de la salle de commandement, les voyants colorés du pupitre de pilotage, et un cinquième des cadrans du panneau hémisphérique. Ils diffusaient d'étranges lueurs aux teintes pastel sur les visages des deux hommes et de la jeune femme, immobiles et silencieux à leur poste.

Leurs cabines rendues inaccessibles à cause de la blessure béant au flanc de l'astronef, les trois autres dormaient sur les couchettes du carré principal transformé en dortoir.

Durant toute la première partie de son quart, Jasmard avait vainement tenté de reconstituer une sphère d'espace apparent avec les débris jonchant le sol, mais il avait dû renoncer à son projet. Il avait ensuite vérifié les lasers et les radars d'approche, reconnecté les branchements des appareils d'atterrissage à vue et contrôlé le fonctionnement des commandes mécaniques qu'il aurait à manier, à la force des poignets, dès que l'astronef atteindrait les premières couches de l'atmosphère.

Il restait maintenant aux rescapés du cataclysme qui avait anéanti Golthos à tenter de poser leur vaisseau désemparé sur une planète inconnue où ils risquaient de rencontrer l'imprévisible et de se heurter à des formes de vie dont ils ne pouvaient se faire aucune idée.

Bien qu'il ne fût pas de quart, Carlsberg n'avait pu se résoudre à abandonner la chambre de navigation. Les traits tirés, épuisé par des jours et des nuits d'insomnie, il s'approcha en titubant du poste de pilotage.

— Vous devriez aller vous reposer, lui dit Jasmard.

— Je ne peux pas, commandant.

Jasmard tourna vers son second un visage las. Sur son front où se reflétait la lueur des instruments de secours, on voyait de profondes rides emplies d'ombre.

— C'est un ordre, murmura-t-il.

Elisabeth se leva et prit la main du navigateur.

— Je vais vous donner un calmant. Venez !

Docilement, dodelinant de la tête et traînant les pieds, Carlsberg suivit la doctoresse vers le carré.

Il régnait encore un semblant d'ordre et de discipline à bord de l'*Athos*. On obéissait toujours aux ordres de Jasmard, mais que pouvaient faire deux officiers épuisés, aidés par un équipage de quatre amateurs dont deux femmes, pour conduire un astronef réduit à l'état d'épave à travers les embûches de l'espace ?

— Commandant, murmura Elisabeth en regagnant son poste, qu'allons-nous faire quand nous serons sur Angus ?

Jasmard soupira avant de répondre d'une voix neutre :

— Essayer de nous en tirer.

Devant les lueurs du grand panneau, on distinguait, de dos, la silhouette de Ganon. Le zoologue faisait de son mieux pour interpréter les signes des aiguilles, des compteurs et des voyants dont il avait la charge.

Après un long moment de silence, la jeune femme murmura comme pour elle-même :

— Hier, nous attendions tous avec impatience notre première prise de contact avec une planète comme Angus III. La quasi-certitude d'y rencontrer des formes de vie développées était pour nous un rêve merveilleux. Maintenant, nous en avons peur.

Jasmard inclina la tête.

— C'est grâce à la technologie dont il dispose que l'homme est devenu le maître de l'univers, répondit-il. Maintenant que l'*Athos* n'est plus qu'une carcasse disloquée et que les trois quarts de nos appareils sont inutilisables faute d'énergie, moi aussi j'ai peur de cet atterrissage sur le sol d'Angus !

Il ne savait pas encore à quel point ses craintes étaient justifiées.

Le commandant et la jeune femme se rapprochèrent l'un de l'autre.

*
**

L'*Athos* donnait de la bande. A chaque coup de roulis on pouvait voir, dans le champ des caméras à rayons infrarouges, les débris du blindage et des tôles qui hérissaient ta périphérie de la déchirure.

On eût dit une immense bouche, ouverte à même sa coque argentée, qui aspirait goûlument le vide glacé. Les passagers se demandaient avec inquiétude combien de temps tiendraient les cloisons et les compartiments étanches qui isolaient encore les locaux de pilotage des cabines dont les parois déchiquetées béaient sur l'espace.

Il y eut encore cinq périodes de veille pour chacune des deux équipes de quart avant que, le surlendemain, l'astronef se trouvât enfin placé sur orbite autour de la troisième planète du soleil orangé.

L'ellipse était incertaine et flottante. Son apogée frôlait la zone d'attraction d'une lune blême, tandis que son périgée rasait les couches supérieures de l'atmosphère.

En dépit du manque de stabilité de l'aviso, Jasmard fit mettre en batterie les appareils d'observation dont l'alimentation énergétique pouvait être assurée par les piles à combustible. Les grands télescopes, les lanceurs de radiosondes, les laboratoires automatiques, les analyseurs-robots et toute la panoplie d'instruments de haute précision dont disposait le navire lorsqu'il était intact, étaient inutilisables depuis la mise hors circuit du générateur et des moteurs atomiques !

Les écrans leur révélèrent alors la rotondité d'un sol sur lequel les accidents de terrain et le relief semblaient peints au lavis. Tout y était blanc, gris ou noir. Il s'en dégageait une profonde impression de tristesse et de deuil.

Au coude à coude dans la salle des commandes, penchés sur les hublots, ils se trouvaient un peu dans la situation de naufragés qui, après des jours et des jours passés sur l'océan, aperçoivent enfin les superstructures d'un bateau sauveteur... et découvrent, avant de se hisser à son bord, qu'ils vont monter sur un vaisseau fantôme, sinistre, mort, abandonné par son équipage, mais habité de présences mystérieuses et inquiétantes...

Chacun d'eux recherchait la présence des autres comme si la chaleur humaine qui en émanait pouvait les aider à supporter la vision lugubre du monde où ils allaient se poser.

Jasmard comprit qu'il était urgent de rompre le silence et d'occuper ses compagnons. Il se tourna vers Elisabeth et lui dit :

— En tant que médecin, vous devez être un peu biologiste. C'est donc à vous que revient la charge des rares appareils analyseurs que nous pourrons faire fonctionner. Ce qui nous intéresse, c'est la composition de l'atmosphère et, surtout, la présence éventuelle de microbes inconnus. Ainsi, nous saurons si nous pouvons travailler à l'air libre ou si nous devons revêtir nos scaphandres avant de sortir du navire. Essayez aussi de découvrir toute trace de vie organique et, si possible, de déterminer sa nature.

Elisabeth acquiesça.

— Je ferai de mon mieux, répondit-elle simplement.

Jasmard lui sourit et s'adressa à la géophysicienne :

— Madame Hill, nous disposons encore d'un petit radiotélescope. Il serait utile que vous vous en occupiez afin d'étudier le spectre d'Angus, de déterminer la nature de son sol et d'évaluer le degré de ses radiations.

Sans répondre, Martha Hill tourna les talons. L'air revêche, elle partit vers le poste de radio-astronomie.

— Professeur Ganon, vous vous en êtes fort bien tiré aux manettes du panneau hémisphérique des machines. Je vous saurai gré d'y rester et de m'aider pour la manœuvre d'atterrissage.

Le zoologue, qui n'avait pas quitté le siège qu'occupait d'habitude l'officier mécanicien de service, se contenta d'incliner la tête sans cesser d'inspecter des instruments reliés aux moteurs auxiliaires. Jasmard poursuivit :

— Le professeur Gassama aidera le docteur Erl dans ses recherches. Quant à vous, Carlsberg, pensez-vous que l'orbite soit assez stable pour vous permettre de faire vos relevés et de choisir un terrain d'atterrissage ?

— Les instruments d'investigation rapprochée sont en excellent état, répondit le navigateur, mais mon travail ne vaudra pas une observation directe à bord d'un module d'exploration !

— Le module a été réduit en poussière du côté de Golthos !

— Je ferai ce que je pourrai !

En tant que navigateur, Carlsberg devait

mesurer les conséquences de la destruction de toutes les sphères d'espace virtuel. Depuis vingt-quatre heures, il était irritable. Pour l'essentiel, le succès de la prise de contact avec Angus ne dépendait pas que de l'habileté de Jasmard, mais aussi de l'exactitude de ses calculs. Cela aussi le rendait nerveux et inquiet. Il grommela :

— De cette altitude, ce ne sera pas commode ! Je peux amener le navire sur une chaîne de montagnes ou en pleine mer !

— Vous ne risquez pas grand-chose, fit Gassama avec un ricanement. Si vous vous trompez dans vos estimations, l'*Athos* ne sera plus qu'un tas de ferraille sur le sol d'Angus. Et il n'y aura plus de passagers pour vous le reprocher !

Aussitôt, le Noir éclata de rire et ajouta :

— Mais si nous nous en tirons grâce à vous, nous vous offrirons un bouquet des plus belles fleurs de cette sacrée planète !

*
**

Il fallut attendre la fin de la troisième révolution pour faire la synthèse des renseignements recueillis par les sondeurs, les antennes télescopiques et les écrans d'observation.

Quatre continents occupaient les deux cinquièmes de la planète. Ils ressemblaient étrangement à ceux de la Terre. Partout ailleurs, s'étalait une mer grise et terne où grouillait une intense vie aquatique.

Sous les longs nuages blancs que le vent déchirait en altitude, on ne discernait d'autre relief remarquable que celui formé par quelques chaînes rocheuses couvertes de neige. Ailleurs, plaines et collines alternaient. Elles étaient couvertes d'une végétation dense et sombre, entrecoupée çà et là par les taches livides de clairières et de plateaux dénudés.

Les jours d'Angus duraient vingt-trois heures et cinquante-quatre minutes. Aucune radiation nocive n'avait été enregistrée. L'air était respirable et la vie possible pour des hommes.

Outre les principaux corps chimiques répertoriés sur Terre, les appareils signalaient la présence d'acide nucléïque, de bactéries, d'insectes, de poissons et de mammifères, vraisemblablement de grande race. Aucune trace de technologie avancée, ni de formes de vie organisée en sociétés, n'avaient été repérées mais, en raison des faibles moyens d'investigation des appareils primitifs qu'avaient dû utiliser les cosmonautes, cela ne pouvait avoir de signification absolue.

Le silence qui régnait à bord était pesant. Chacun sentait que son destin allait se jouer dans la minute qui suivrait car, une fois la chute libre amorcée, toute la puissance disponible servirait à freiner la descente. Il ne pourrait alors plus être question d'envisager un départ en catastrophe sur les seuls moteurs auxiliaires dont la force de poussée serait incapable d'arracher la masse de l'astronef à l'attraction d'Angus !

Jasmard considéra ses compagnons comme s'il attendait d'eux un signe qui put changer leur destinée commune. L'un après l'autre, ils se contentèrent de baisser la tête. Seule Elisabeth Erl adressa un sourire au commandant qui demanda au navigateur :

— Peut-on connaître les coordonnées du terrain d'atterrissage que vous avez choisi pour passer notre prochain week-end sur Angus ?

Carlsberg eut un rire nerveux. D'un paquet de cartes perforées qu'il tenait à la main, il sortit la première qu'il avait sélectionnée parmi toutes celles qui étaient sorties de l'ordinateur et la tendit au commandant.

— Je vous propose cette petite clairière située sur un plateau tempéré, à 43 degrés dans l'hémisphère nord.

Jasmard la retourna entre ses doigts et la considéra comme si le réseau de perforations pouvait avoir une signification pour ses yeux. Puis il la flaira et déclara :

— La brise y semble fraîche et le temps agréable... J'espère que la mer est proche et que nous pourrons pêcher à la ligne ?... Avez-vous amené votre costume de bain, madame Hill ?

L'air revêche de la géophysicienne se pinça encore plus.

Les plaisanteries que font les hommes avant de risquer leur vie sont toujours stupides. Jasmard se gratta la joue. Puis il se mordit la lèvre inférieure, haussa les sourcils, glissa la carte perforée dans la fente de la consolette et, d'un geste désinvolte, appuya le doigt dessus.

Il y eut un bref cliquetis suivi d'un éclat bleu sur la lampe témoin du tableau de bord. Aussitôt après, les chiffres des coordonnées vinrent s'inscrire en lumière verte sur le tube de repérage.

Le cœur serré, chacun regagna le poste qui lui avait été assigné. Quand tout fut paré, Jasmard déclencha le rétropropulseur et l'*Athos* amorça sa descente vers les couches denses de l'atmosphère angusienne.

CHAPITRE XI

Quelques secondes avant la mise à feu des rétropropulseurs, les dispositifs reliés à la proue anti thermique avaient obturé les hublots.

Aussitôt après, une couche de gaz incandescents avait masqué les objectifs des caméras qui n'avaient plus diffusé que des images très lointaines, brouillées et hachurées du sol d'Angus.

Chaque minute de la plongée avait paru durer des heures. Pour les occupants de l'aviso, ce fut une sorte de cauchemar silencieux et aveugle, un long glissement feutré vers les profondeurs de l'inconnu.

Tant que les fusées de freinage avaient foré leur route dans l'atmosphère, ils avaient serré les dents, fermé les yeux et écouté les battements de leur cœur comme à l'approche d'une catastrophe inéluctable.

Les secousses qu'ils perçurent enfin et le gémissement des amortisseurs du trépied qui leur succéda au moment de l'atterrissage furent pourtant aussi rassurants que lors d'une prise de contact avec l'aire bétonnée d'un astroport bien équipé en moyens modernes de radioguidage.

Un grand silence avait alors empli le vaisseau. Dans les yeux des quatre hommes et des deux femmes sanglés sur les sièges pneumatiques, brillait ce regard particulier de ceux qui éprouvent l'intense étonnement d'être encore en vie. Dès que Jasmard eut fait signe à Ganon de couper les moteurs qui tournaient au ralenti, ils s'étaient précipités vers les baies d'observation.

Et ils avaient contemplé le paysage d'Angus !

Ils avaient regardé le plateau désolé où ils avaient abouti et scruté la végétation noirâtre dont les sondeurs auditifs leur transmettaient le crissement métallique du feuillage secoué par la brise.

Ils avaient flairé l'odeur de rouille qui émanait des végétaux arboriformes et analysé, deux jours et deux nuits durant, toutes les données que leur fournirent les appareils investigateurs du bord, sans déceler d'autre présence que celle des insectes qui pullulaient sur le sol et dans l'air.

Depuis, en dépit du spectacle déprimant de sa nature figée et comme peinte au lavis, la planète où avait échoué l'astronef leur paraissait presque accueillante, car on pouvait y respirer sans risque d'asphyxie ou de contamination et s'y déplacer sans avoir la sensation de ne peser que quelques grammes ou de soulever plusieurs tonnes au moindre geste.

La clairière était couverte d'une épaisse mousse qui ressemblait à de la limaille de fer.

Au deuxième plan, s'élevait un banc de fougères arborescentes de plusieurs mètres de hauteur, en avant-garde d'une forêt primaire précédée de fûts pétrifiés aux formes torturées. Aucune lumière ne devait jamais pénétrer sous le dôme feuillu et sombre car il y régnait une odeur de pourriture et une obscurité si dense que les projecteurs du navire ne la perçaient qu'à grand peine. En bordure, on était assourdi par le vrombissement incessant de nuées d'insectes dont certains avaient la taille d'une main d'homme.

Avant toute chose, Jasmard voulait renflouer l'astronef. Celui-ci pourrait en effet se transformer en une forteresse quasiment inviolable quand tous les moyens de détection et de défense dont il disposait seraient en état de fonctionnement. Mais, pour cela, ils devaient être alimentés en énergie par les piles atomiques et les générateurs détériorés lors de la rencontre de l'*Athos* avec l'onde de choc de l'implosion de Golthos. D'autre part, en cas de péril grave, le commandant voulait disposer d'un moyen de fuite instantanée et donc rendre à l'aviso toutes ses qualités de navire rapide.

Si la réparation était possible avec les moyens du bord !

Suivi de Carlsberg, Jasmard s'enfonça donc dans les coursives qui menaient aux œuvres vives du vaisseau en débloquant à la main le système d'ouverture des blindages étanches verrouillés après l'accident.

Parallèlement, il était urgent de procéder à une étude de l'environnement immédiat. Désignés par les cosmonautes pour effectuer une première mission d'exploration dans les limites de la clairière, les professeurs Ganon et Gassama équipèrent le Terraplane pour tenter une première sortie. Ils en ramenèrent une description des environs qui n'était guère encourageante : à l'Est s'étendait une prairie dont les hautes herbes, noires comme la suie et tranchantes comme des lames de rasoir, s'étendaient jusqu'à la berge d'un ruisseau qui serpentait dans un champ de fleurs minuscules, d'un blanc éclatant, dont les pétales s'étaient brisés comme de la porcelaine sous la jupe de leur véhicule à coussin d'air.

Au Nord, ce n'étaient que taillis de ronces en spirales, lianes en dents de scie, feuilles ténébreuses lovées sur elles-mêmes et se détendant comme des ressorts sous l'effet du choc le plus léger, épines étincelantes comme des dagues. Le feuillage cliquetait sans cesse comme une parure métallique secouée par le vent.

A l'Ouest et au Sud, la profonde forêt primaire, sombre et tourmentée, gravissait la pente des collines. Cela sentait l'acier rouillé et le charbon humide.

Les deux hommes étaient revenus à l'astronef, déprimés et abattus, sans avoir rencontré d'autre animal que les insectes dont l'air ne cessait de bourdonner, et dont certains avaient éclaté comme des objets fragiles en se heurtant aux parois vitrées de l'appareil.

Pendant ce temps, Martha Hill et Elisabeth Erl avaient installé un camp de base entre les pieds de l'*Athos* et préparé le repas des hommes. Quant au commandant et au navigateur, ils ramenaient de leur inventaire des avaries subies par la coque et les machines, un sentiment d'optimisme mesuré : la réparation du navire était possible mais elle serait longue et difficile !

— Combien de temps ? demanda le professeur Gassama.

— A quelques minutes près, répondit Jasmard, les jours d'Angus sont les mêmes que ceux de la Terre. On peut donc estimer que les travaux dureront entre trois et six semaines... si tout se passe bien !

Les savants échangèrent un regard consterné. Puis, une lueur de défi brilla dans l'œil de Martha Hill.

— Nous n'allons tout de même pas nous contenter de vous regarder travailler tout ce temps ! s'exclama-t-elle.

Tandis que les deux cosmonautes gardaient le silence, Ganon demanda :

— Que proposez-vous, Martha ?

— De partir en exploration sans attendre que le commandant et Carlsberg aient achevé les réparations de l'*Athos*. S'il y a ici des êtres intelligents, nous devons tout faire pour les rencontrer et essayer d'entrer en contact avec eux !

Dans une certaine mesure, la géophysicienne n'avait pas tort ; mais sa proposition, outre qu'elle risquait de se révéler dangereuse, pouvait créer une scission entre les membres de la petite équipe. Jasmard les regarda l'un après l'autre sans répondre.

Le mystère d'Angus excitait leur imagination. Ils rêvaient de découvertes fabuleuses et écoutaient, la nuit, la vie fourmillante des cloportes, des rongeurs et des petits animaux, qui s'éveillait dans les broussailles. Du coucher du soleil à la naissance du jour, ce n'était que grignotements, craquements de branches, cliquettements métalliques des feuilles que rongeaient d'étranges mâchoires. On entendait des courses folles d'insectes gigantesques aux pattes multiples, des cris infimes, et parfois des appels inquiétants que lançaient, dans les ténèbres, des êtres inconnus sur la Terre. Tout cela résonnait dans la carcasse de l'*Athos* dont Jasmard, chaque soir, vérifiait lui-même la fermeture magnétique des écoutilles. Mais rien n'indiquait qu'ils fussent en danger.

A contrecœur, le commandant dit enfin :

— En tant que responsable de la sécurité de l'expédition, j'interdis à chacun de vous de dépasser les frontières naturelles de la clairière. Les patrouilles se feront par groupe de deux, à bord du Terraplane qui devra toujours rester dans les limites de visibilité de l'*Athos*. Les deux autres seront chargés des corvées de cuisine et devront rester en liaison-radio constante avec l'équipe du Terraplane. Carlsberg et moi, nous ne quitterons pas le navire avant d'avoir réparé la coque, remis les machines en état de marche et calculé un nouveau plan de vol.

C'était moins que ce que réclamait la géophysicienne mais Jasmard, que les arguments de Goldenberg avaient jadis amené à commettre une imprudence en survolant de trop près la surface de la planète transparente, était, cette fois, décidé à maintenir des règles de sécurité absolues. Il pensait que, en autorisant des patrouilles à faible distance, il occuperait les membres de l'équipe scientifique tout en les tenant à l'abri de risques imprévisibles.

Il ne pouvait prévoir que l'ambition de Martha Hill allait contrecarrer ses projets. Depuis la mort des professeurs Goldenberg et Gossein, la géophysicienne restait, en effet, la plus ancienne parmi les chercheurs survivants et elle n'ignorait pas que l'immense prestige d'une exploration réussie et de découvertes publiées revenait le plus souvent, dans la société humaine, au chef de la mission scientifique.

Pour que les autres savants lui accordent ce titre, il fallait que son ascendant et son autorité sur eux devinssent incontestables. Elle décida donc de participer à la première patrouille et choisit Gassama comme coéquipier.

*
* *

Aux commandes du Terraplane, l'éthologue s'efforçait de faire décrire à son engin des
cercles réguliers et de plus en plus larges
autour de l'aviso. La géophysicienne était installée derrière lui, sur le siège de la coupole
d'observation, face à une batterie de téléobjectifs.

A un mètre au-dessus du sol, le Terraplane survolait la mousse noire et rêche quand
apparut, au pied des premières fougères dres-
sant vers le ciel leurs feuilles en forme de
lames de faux ébréchées, un petit quadrupède.

Son museau tendu dans leur direction,
l'animal les observait de ses yeux jaunes.

— Plus vite ! cria Martha Hill.

Gassama était trop prudent et trop habitué
à l'observation des animaux pour risquer d'ef-
frayer le premier mammifère de morphologie
terrienne que l'homme ait jamais rencontré
dans la galaxie ! Prudemment, il immobilisa
le véhicule en s'efforçant d'atténuer la violence du remous sur lequel il reposait.

Bien qu'elle fût aux trois quarts cachée par
les fougères et les herbes de limaille, la bête
laissait voir sa robe de poils ras, couleur
fauve, qui tranchait sur la grisaille des végétaux. Entre deux branches annelées, son œil
luisait de curiosité et d'inquiétude. Les membres tendus, il était prêt à disparaître au moindre signe suspect.

— Quatre pattes, deux oreilles, deux yeux,
du poil et l'instinct de sa propre sauvegarde,
murmura l'éthologue avec une passion contenue. C'est extraordinaire, Martha, que les

êtres d'une planète aussi éloignée aient un aspect aussi semblable à ceux de notre monde ! Celui-ci ressemble à un chacal !

Cette simple découverte était à elle seule assez importante pour justifier la mission de l'*Athos* ! Et si elle parvenait jamais à la Terre, elle ne manquerait pas d'amener sur Angus une flotte entière d'astronefs et des nuées de savants !

Le cœur battant, Gassama s'efforçait de le cadrer dans la caméra de proue quand il prit conscience du geste de sa compagne. Par la vitre baissée de l'appareil, le professeur Hill épaulait une carabine !

— Vous êtes folle, Martha !

L'éthologue tira à lui la manette des gaz. Brutalement privé de son coussin d'air, le Terraplane heurta le sol, faisant dévier le coup de feu. Gassama eut le temps de voir sursauter le chacal. En un instant, il détala, ventre à terre, et disparut sous les broussailles. Gris de colère, Gassama se mit à crier :

— En aucun cas vous n'avez le droit de tirer sur un être vivant si ce n'est pour vous défendre ! Ce sont les ordres du commandant Jasmard !

La bouche serrée, la géophysicienne secoua rageusement la tête.

— Sans ces ordres stupides, fit-elle, nous disposerions déjà d'un spécimen que vous auriez pu observer en toute tranquillité et que le docteur Erl aurait disséqué tout à loisir dans le labo de l'*Athos* !

Pour l'éthologue, c'était l'observation des animaux en vie qui était intéressante, et non celle des cadavres. Il grommela une phrase indistincte, et allait remettre les moteurs en marche lorsque l'on entendit une série de grésillements dans le poste-radio à ondes courtes, puis la voix d'Elisabeth Erl :

— *Allô ! le Terraplane, ici l'*Athos. *Nous venons d'entendre un coup de feu. Etes-vous en danger ? Répondez.*

Une lueur de défi brilla dans les yeux de la géophysicienne qui s'exclama :

— Allez-y, Gassama ! Annoncez donc à l'*Athos* que j'ai tiré sur un animal. Jasmard en profitera aussitôt pour nous interdire toute nouvelle sortie et nous cloîtrer à bord de son vaisseau !

L'air résigné, elle ajouta après l'avoir scruté du coin de l'œil :

— Les cosmonautes sont ainsi ! Ils veulent garder pour eux le mérite des découvertes des savants qu'ils ne font que transporter sur des planètes inconnues.

— *Allô ! le Terraplane... allô ! le Terraplane... M'entendez-vous ?*

La géophysicienne saisit le coude de l'éthologue qui restait immobile et silencieux, les doigts serrés sur les commandes du Terraplane. Elle se pencha à son oreille et insista, en désignant du menton le couvert où avait disparu le chacal.

— Ne croyez-vous pas que nous ferions mieux de partir sur les traces de cet animal ? Avec un peu de chance, elles pourraient nous mener à son repaire et, qui sait, vers d'autres espèces vivantes.

— *Ici l'Athos. J'appelle le Terraplane ! Si votre radio ne marche pas et que vous ayez besoin de secours, tirez un coup de feu en l'air. Si tout va bien, tirez trois coups de fusil. Terminé.*

— Me promettez-vous de ne plus vous servir de cette sacrée carabine ?

Un éclair de victoire brilla dans les yeux de Martha qui répondit :

— C'est juré !

D'un geste de l'index, Gassama remit d'abord en marche la turbine du petit véhicule, puis il brancha la radio et annonça tranquillement dans le micro :

— Allô ! L'*Athos*. Ici le Terraplane. Tout va bien à bord. Nous poursuivons notre patrouille en contournant le bosquet près duquel nous sommes arrêtés. Ne vous inquiétez pas si vous nous perdez de vue pendant un certain temps. Terminé.

Gassama appuya sur la manette des gaz et laissa le Terraplane dévaler à toute vitesse la pente qui menait aux lisières.

Doucement bercée par le coussin d'air qui les transportait sans un heurt au-dessus des premiers épineux, Martha Hill éprouvait un sentiment d'exaltation. Avec son compagnon, elle était le premier être humain qui osait s'enfoncer dans la mystérieuse forêt angusienne !

Désormais, ils ne voyaient plus l'*Athos* que leur dissimulait la croupe de la colline.

Ivres de liberté et de curiosité, ils piquèrent droit sur le cours d'eau qui surgissait des frondaisons pour s'écouler entre deux berges où les herbes étaient si noires qu'elles en paraissaient calcinées.

Dans le ciel, un oiseau aux ailes pourpres, le premier qu'ils aient jamais vu sur Angus, poussa un cri strident et plongea vers le bois. Au loin, de hautes broussailles s'agitèrent. Ils crurent apercevoir deux cornes et un pelage roux entre les déchirures des feuilles.

Ils découvraient avec émerveillement que la planète vivait et pressentaient que leur quête ne serait pas vaine. Pris par une sorte d'ivresse, pressés d'aller toujours plus vite et plus loin, ils allaient droit devant eux et s'apprêtaient à franchir le cours d'eau pour gravir le flanc d'une nouvelle colline quand Martha ne put contenir un cri de stupeur.

Le Terraplane qui avait ralenti l'allure pour franchir la barrière rocheuse de la rive tremblait au ras du sol, comme un animal qui piaffe avant de reprendre sa course. A un mètre au-dessous, on voyait distinctement, dans la boue de la berge, l'empreinte d'un pied humain !

CHAPITRE XII

Jasmard épongea la sueur de son front, puis il se recula et s'adossa à la cloison de la salle des machines. A l'extérieur, on entendait le sifflement des chalumeaux qui faisaient couler des larmes d'argent sur la carcasse endommagée de l'aviso.

Le commandant avait tout lieu d'être satisfait. La fissure de la pile atomique avait été colmatée et un bouclier de plomb coulé sur la surface dangereuse. Le générateur, dont il venait de démonter le carter, laissait voir son réseau compliqué de canalisations et de connections qui reliaient entre eux les délicats organes de la machinerie.

Au premier regard, rien ne semblait irrémédiablement détérioré. On pouvait même penser que, dès que l'alternateur serait en mesure de condenser l'énergie des accumulateurs et de la déverser dans l'accélérateur de particules, tout ce monde de bielles, de cames, de pistons, de soupapes, de condensateurs, de turbines, se remettrait à vivre.

De son côté, Carlsberg avait pu souder, grâce à l'aide de Ganon, une série de rustines blindées sur les avaries de la coque. Si le travail se poursuivait à ce rythme, dans moins de deux semaines, l'*Athos* ne serait plus une épave, mais un navire capable de se réfugier dans l'espace ! Et si le destin leur laissait une semaine supplémentaire de répit, le propulseur ionique lui-même, dont le commandant avait craint que le fragile mécanisme n'ait pu résister au choc de l'explosion, pourrait rendre à l'aviso la vitesse translumnique dont il avait besoin pour plonger dans les nœuds de l'espace-temps, seul chemin possible pour regagner la Terre !

Ce fut au moment où Jasmard allait se remettre au travail qu'Elisabeth Erl passa la tête par l'écoutille.

— Commandant, dit-elle, le Terraplane ne répond plus !

*
* *

A bord de l'engin, Gassama et Martha Hill essayaient vainement d'établir la liaison avec le navire pour annoncer au reste de l'équipage leur stupéfiante découverte.

— Rien à faire, grommela l'éthologue, les communications sont brouillées.

La géophysicienne considérait d'un air songeur la croupe de la colline surmontée d'une crête végétale en dents de scie. On n'aurait pu dire si la forêt était profonde, ou si un simple rideau de ces arbres étranges dont les frondaisons ressemblaient à d'interminables rubans emmêlés les uns dans les autres, les séparait du navire. Il s'en dégageait une impression sinistre.

Elle se souvenait encore, avec une stupéfiante précision, de l'empreinte qu'elle avait photographiée. Le pouce était large et décollé des autres orteils mais, à n'en pas douter, c'était bien un pied humain qui s'était enfoncé dans la boue du ruisseau ! Ainsi, le rêve de l'humanité de rencontrer une autre intelligence dans la Galaxie, allait-il enfin se réaliser et étayer les hypothèses des anthropomorphistes qui prétendaient que seule l'espèce humaine avait jamais été touchée par la grâce de l'esprit ! Et cette preuve, c'était elle, Martha Hill, qui allait la ramener sur la Terre.

— Ganon aurait dû analyser le feuillage au lieu de jouer à l'apprenti mécanicien au service du commandant ! s'exclama-t-elle. Il nous aurait sans doute appris que sa teneur en métal est suffisante pour créer des perturbations magnétiques qui brouillent nos émissions-radio.

— Il faut faire demi-tour !

Martha Hill secoua la tête.

— Allons jusqu'au sommet ! Là-bas, il n'y aura plus d'écran entre nous et l'*Athos*. C'est dans cette direction que conduisent les traces, et, là-bas, nous pourrons sans doute communiquer avec nos compagnons.

Pour rien au monde, elle n'aurait accepté que sa découverte puisse appartenir à un autre membre de l'expédition. Comme le Noir hésitait, elle ajouta :

— Auriez-vous peur, professeur Gassama ? Dois-je suivre seule, à pied, la première piste humaine jamais observée sur une planète ?

A contrecœur, l'éthologue dirigea son engin vers la crête suivante. Le Terraplane suivit un entrelacs de saignées naturelles qui serpentaient comme des tunnels dans la végétation de plus en plus haute, de plus en plus dense, jusqu'au promontoire où leur apparut l'immensité de la plaine angusienne.

Un panorama de forêts noirâtres d'où jaillissaient des pics de pierre blanche en forme de pointes de flèches, s'étalait à perte de vue. Parfois, à la manière de longues lanières détendues, d'interminables feuilles se déroulaient et se rétractaient aussitôt, comme de gigantesques serpentins, avec des bruits de ressorts brisés. Au loin, les broussailles empoignaient dans leurs griffes végétales des sortes de tumulus de rocs gris.

Ils posèrent le Terraplane sur une bande de terre rase et tentèrent d'établir un nouveau contact-radio avec l'aviso. L'appareil restant muet, la géophysicienne et l'éthologue allaient se décider à rebrousser chemin. Avant, ils décidèrent d'enregistrer les images du morne paysage de pics dénudés et de blocs ruiniformes surgis du tapis végétal.

Pendant que les moteurs des caméras ronronnaient, ils hissèrent le télémètre au-dessus de la coupole afin d'établir des relevés.

Le premier, Gassama cala son front au-dessus de l'oculaire. Ce qu'il vit alors lui glaça le sang.

Ses doigts se mirent à trembler tellement qu'il lui fallut plusieurs secondes pour régler l'optique de l'appareil. Quand l'image se fit plus nette, il n'eut plus de doute. Dans une flaque de lumière blême où tremblait l'air chaud, au creux d'un défilé rocheux, deux cavaliers angusiens chevauchaient côte à côte !

Et ce spectacle le remplissait d'horreur !

A l'immobilité de son compagnon, Martha Hill comprit qu'il avait aperçu un spectacle insolite. Elle se hissa dans la coupole et braqua le téléobjectif à long foyer d'une caméra dans la même direction. Quand l'image s'inscrivit dans le viseur, à son tour elle se mit à trembler.

— Cela fait plus d'une heure que le Terraplane n'a pas donné signe de vie !

La main crispée sur les manettes de la radio de l'astronef, le corps à demi tourné vers ses compagnons qui s'étaient réunis dans la salle des communications, Elisabeth Erl paraissait encore plus jolie que de coutume. Jasmard ne put contenir un serrement de cœur en rencontrant son beau regard empli d'angoisse. Il craignait pour la jeune femme qu'Angus ne soit pas un monde aussi paisible que le laissait croire la clairière de limaille.

— Il faut partir à la recherche de Martha

et de Gassama avec l'autre Terraplane, proposa Ganon.

Le zoologue avait les traits tirés, mais l'inquiétude ne l'empêchait pas d'avoir de l'appétit. Avant de répondre à l'appel d'Elisabeth, il était passé par la cambuse d'où il avait ramené un énorme saucisson qu'il dévorait sans presque s'en rendre compte.

— Notre deuxième véhicule à coussin d'air est en pièces détachées au fond des cales, grommela Jasmard. Il nous faudrait plus d'une journée pour le hisser sur l'entrepont et le monter !

— Commandant, fit alors Carlsberg d'une voix sourde, donnez-moi l'autorisation de partir seul !

— A pied ? fit Jasmard avec un haussement d'épaules.

— Avec une petite fusée-scooter, je pourrais sûrement repérer le Terraplane.

— Trop dangereux ! répondit Jasmard en secouant la tête. J'ai besoin de vous ici, Carlsberg.

Les joues d'Elisabeth s'empourprèrent. Bouleversée à l'idée d'abandonner Martha Hill et Gassama, elle vint ajouter son insistance à celle des deux hommes.

— Commandant, fit-elle en rejetant sa blonde chevelure en arrière, nous avons le devoir de faire tout ce qui est en notre pouvoir pour sauver nos amis. Je veux accompagner le lieutenant Carlsberg !

Le navigateur fit calmement deux pas en avant.

— Je suis désolé de m'opposer pour la première fois à votre autorité, commandant, mais le docteur Erl a raison. Il serait indigne de notre part de ne pas tenter l'impossible pour rejoindre deux humains en péril sur une terre étrangère. Je partirai donc comme je l'ai décidé, avec un scooter autonome et...

Exaspéré, Jasmard lui coupa la parole en haussant le ton :

— Aucun de vous, dit-il, ne quittera le bord sans mon autorisation ! D'abord, rien ne prouve que nos compagnons soient en danger. Et même si cela était, le risque serait encore plus grand avec une fusée-scooter autonome.

Les mains derrière le dos, il arpenta plusieurs fois la pièce de long en large, puis il ajouta d'une voix grave :

— Depuis le début de cette mission, j'ai commis deux erreurs. La première a été de me laisser convaincre par le professeur Goldenberg de perdre de l'altitude pour effectuer une observation rapprochée de Golthos. Vous savez ce que cela nous a coûté ! La seconde, de permettre au professeur Hill de visiter la clairière à bord du Terraplane, alors que nous n'avions plus de module d'exploration.

Il se massa le menton et considéra pensivement les trois membres de l'expédition qui lui faisaient face.

— Je comprends votre révolte, dit-il, mais je crains que vous ne vous rendiez pas très bien compte de la situation dans laquelle nous nous trouvons.

Il eut un regard pensif pour le morne paysage que l'on distinguait à travers le hublot d'observation et reprit :

— Nous avons quitté la Terre avec une double mission. Reconnaître le système découvert par les sondes automatiques et explorer la ou les planètes susceptibles d'avoir donné naissance à des formes de vie évoluée.

Le professeur Ganon l'interrompit.

— Nous savons tout cela, commandant. Ne croyez-vous pas que nous perdons un temps précieux ?

Jasmard eut un regard las pour le zoologue.

— Mais vous ignorez l'essentiel, répondit-il, car celui-ci n'avait été communiqué qu'au professeur Goldenberg, chef de la mission scientifique, et à moi-même en tant que responsable de l'expédition. La vérité, la voici : objectivement, Angus n'existe pas. Aucun télescope, aucun appareil de radio-astronomie n'a jamais repéré ce système. Pourtant, les radio-sondes automatiques lancées dans l'hyperespace l'ont situé aux environs d'une faille spatiotemporelle ouverte près de l'étoile double Céphée. Donc dans un endroit du ciel où nos puissants moyens d'investigation auraient dû, nécessairement, le remarquer, l'observer et le cataloguer. Autrement dit, nous avons quitté la Terre avec, pour point de destination, une région céleste relativement proche d'un soleil connu, mais où toutes les recherches astronomiques précédentes attestent qu'il n'existe aucune étoile et donc aucune planète.

— Vous voulez dire, coupa Carlsberg, que

les radiosondes et les laboratoires-robots, lancés à une vitesse translumnique de plusieurs kilos *(G + g)*, ont ricoché à un moment donné sur une tangente de l'espace-courbe... et qu'ils se sont enfoncés dans une poche inconnue de l'espace-temps ?

— C'est à peu près l'hypothèse qu'ont formulée les savants du haut commissariat à l'exploration spatiale.

— Mais alors, si les laboratoires-robots ont atteint un point indéterminé dont les coordonnées étaient décalées par rapport à l'espace réel, comment ont-ils pu regagner la Terre ?

La conversation devenait trop technique pour le docteur Erl et le professeur Ganon. Le zoologue ouvrit la bouche pour ramener les deux cosmonautes à des préoccupations plus immédiates mais Jasmard ne lui en laissa pas le temps.

— Les sondes ne disposent pas d'instruments de navigation subspatiale aussi perfectionnés que les sphères d'espace apparent. Leur système de pilotage automatique s'est contenté de décalquer, en sens inverse, la boucle de leur circuit aller.

— Hum ! fit Carlsberg. Cela signifie-t-il que leur trajectoire de retour s'est déterminée d'elle-même, comme un double inversé de leur trajectoire de départ ?

— On peut l'imaginer.

— Donc, aucun ordinateur, aucune calculatrice, aucun cerveau navigation, aussi sophistiqué soit-il, n'est capable de calculer le retour sans se fonder, point par point, sur les coordonnées variables de la trajectoire de départ.

— Exactement.

— Mais les sphères d'espace apparent de l'*Athos* ont toutes été brisées lors de l'implosion de Golthos !

Il y eut un moment de silence au cours duquel Elisabeth scruta la clairière dans l'espoir d'apercevoir le Terraplane.

— Excusez-moi d'intervenir dans votre conversation, fit Ganon qui avait reposé son saucisson sur la console, mais, à vous entendre, je crois comprendre que nous sommes sur une planète dont les coordonnées sont inconnues. Dois-je en déduire que, faute de nos sphères d'espace apparent au creux desquelles notre cheminement dans le subespace s'était inscrit, nous ignorons tout de la direction à prendre pour regagner notre monde ?

Jasmard ne répondit pas, mais Carlsberg inclina gravement la tête.

— Une fois de plus, fit-il, l'administration de l'exploration spatiale a lancé, faute de crédits, une mission insuffisamment préparée. Et l'on s'étonnera, sur Terre, de ne jamais revoir l'*Athos* !

— Pour une fois, dit Jasmard, le haut commissariat avait pourtant prévu la destruction de nos instruments de reconstitution d'espace apparent. C'est même la raison pour laquelle le professeur Goldenberg avait reçu la responsabilité de l'équipe scientifique. Informé du phénomène inscrit dans la mémoire des laboratoires robots, notre malheureux compagnon avait étudié le problème et affirmé qu'il serait capable, en cas d'avarie des sphères d'espace virtuel, de reconstituer le double négatif de la route suivie par l'*Athos* et de ramener le vaisseau sur la Terre.

— Goldenberg est mort, rappela Carlsberg d'une voix lugubre.

— Cette éventualité avait été prévue aussi, répondit Jasmard d'une voix douce. Afin d'assurer à l'expédition un maximum de chances de survie, l'administration de l'espace a désigné son meilleur navigateur. C'est la raison pour laquelle votre vie est si précieuse, Carlsberg : vous êtes seul en mesure de calculer, à partir des éléments ingurgités par le cerveau navigation, une trajectoire de retour qui soit, en négatif inversé, la copie conforme de notre voyage dans le sens Terre-Angus !

Il adressa un sourire sans joie à Ganon et à Elisabeth, puis il reprit :

— C'est aussi la raison pour laquelle chacune de nos vies a mille fois plus de valeur que celles de Gassama et de Martha Hill car, à moins de quatre passagers à bord, nous serions dans l'incapacité de piloter et de faire manœuvrer le navire entre les courbures du subespace !

Il se leva et conclut :

— Dès que les réparations seront terminées, nous pourrons survoler cette planète de long en large et l'observer tout à loisir en restant à basse altitude. Pendant ce temps, Carlsberg se livrera tranquillement à ses calculs afin d'être en mesure, le moment venu, de nous proposer un cap de retour.

— Et le Terraplane ?

Les épaules rondes, Jasmard lança un coup d'œil par le hublot.

— S'il ne revient pas avant ce soir, nous le rechercherons à bord de l'*Athos*... quand celui-ci sera en mesure de décoller.

— Dans quelques jours, nous n'aurons plus une seule chance de retrouver Martha et Gassama vivants !

— A condition d'avoir un équipage de quatre hommes à son bord, dans huit jours l'*Athos* sera capable de défricher une nouvelle route spatiale en direction de la Terre. Sinon, Angus sera rayé de la liste des corps célestes dignes d'être explorés par les humains, et aucune expédition ne se posera sur ce sol avant des millénaires.

Ganon et Carlsberg baissèrent la tête avant de repartir achever leur tâche de renflouement. Avant de regagner la salle des machines, Jasmard eut un long regard pour Elisabeth qui tentait d'établir un nouveau contact-radio avec le Terraplane. Il lui fut reconnaissant du pauvre sourire qu'elle lui adressa au moment où il s'enfonçait dans l'ombre de la coursive.

CHAPITRE XIII

Paralysés par la stupeur, les muscles noués, Martha Hill et Gassama ne pouvaient s'écarter de l'oculaire du télémètre et du viseur de la caméra. Grâce à la puissante optique de leurs appareils, il leur semblait assister de tout près à la scène qui se déroulait à deux kilomètres de distance.

Au pied de la falaise où ils avaient dissimulé leur véhicule, les deux Angusiens chevauchaient côte à côte !

Un instant, on put croire que l'attention des Extra-Terrestres avait été captée par le ronflement de la turbine du Terraplane, car ils avaient tiré sur les rênes et scruté longuement le sommet de la falaise. La peur s'était alors emparée des montures que les deux cavaliers avaient dû maintenir, la bride courte. Durant tout ce temps, Martha et Gassama avaient distingué leurs muscles frémissant sous la peau bronzée de leur encolure.

Les étranges chasseurs s'étaient enfin détournés pour écouter, dans le lointain, les grognements des chiens lancés sur la trace du gibier qu'ils poursuivaient depuis le début de la journée. Les aboiements et les jappements faisaient vibrer les spirales tranchantes de la végétation.

Les deux êtres comprirent alors que la meute devait être sur les talons du grand mâle qu'ils avaient débusqué au fond de la forêt, et que les chiens risquaient de le dévorer tout vif s'ils ne parvenaient pas à les rejoindre à temps.

Repris par l'excitation de leur poursuite, ils oublièrent l'objet brillant qu'ils avaient entrevu sur le promontoire, éperonnèrent leurs bêtes et les lancèrent sous le couvert. Ils fonçaient dans la direction où avait disparu le fauve à longue crinière blonde, suivi de près par la meute en furie.

Ils chevauchèrent longtemps à bride abattue, face au soleil, et leurs montures couvertes de sueur finirent par donner des signes de fatigue. Les Angusiens avaient beau tendre l'oreille, le vent avait changé de direction ; ils n'entendaient plus les aboiements des chiens, ni les hurlements de leur gibier.

Arrivés à l'orée d'une forêt toute crissante du vent dans les frondaisons métalliques et les spirales de la végétation, ils s'arrêtèrent. Avant de mettre pied à terre, ils flattèrent l'encolure de leurs bêtes et caressèrent leur crinière. Puis ils les firent s'agenouiller, sautèrent sur le sol et desserrèrent d'un cran les sangles de leurs selles.

Bien que la brise fût faible, le feuillage crépitait. De leurs gestes maladroits, les Angusiens écartèrent les longs rubans acérés qui pendaient des branches en anneaux enchevêtrés et s'enfoncèrent sous les arbres, à l'abri de la blanche lumière du jour. Là, ils prirent grand soin de contourner les plaques de mousse et d'éviter la mosaïque des infimes coquillages agglutinés sur les rochers.

Ils avançaient sans bruit, de leur allure oblique, un peu flottante et indécise...

On n'aurait pu dire si leur lenteur était le fait de la lassitude, ou de la faiblesse de leurs membres frêles et torses, trop frêles pour supporter leur carapace.

Entre les fleurs de marbre, un ruisseau serpentait. Ils posèrent leurs armes sur le sol, s'étendirent au bord de l'eau où flottaient de légères vapeurs.

Ils songeaient au beau gibier qu'ils avaient levé ce jour-là ! Haut et fort, le corps gonflé de muscles longs et saillants, le grand mâle solitaire avait une peau d'or et une lourde crinière blonde. Ils l'avaient vu, puissant et têtu, faire face aux chiens dès que le relief ou les broussailles lui permettaient de se défendre. Chaque fois, il était reparti, de sa longue foulée souple, laissant sur le terrain, à la meute qui le dévorait ensuite, un animal aux reins brisés.

Nerveuses, leurs deux montures trépignaient d'impatience dans la clairière. Déjà reposées, elles avaient la bouche sèche et la poitrine calme.

Tandis que son compagnon restait à l'ombre du couvert, l'un des chasseurs se leva, les mena par la bride jusqu'au ruisseau où elles burent à longs traits avant de se rouler dans l'herbe. Quand son maître lui flatta la croupe, la femelle se fit câline, tendit ses narines palpitantes à la caresse de son cavalier en gémissant de plaisir. Une courte crinière noire bouclait sur sa tête et retombait sur ses épaules.

Tendant l'oreille à un bruit perçu par elle seule, elle leva la tête vers la falaise puis, rassurée, la reposa sur l'épaule de l'étalon. Insouciante, elle se mit ensuite à gambader dans la clairière, jusqu'au bord du ruisseau où elle but encore et se gratta le dos sur la mousse du rocher. Sous ses pieds, les pétales de pierre aux fines veinules rouges éclataient avec des notes cristallines.

Fascinée, Martha Hill fixait la scène dans l'ovale de son viseur. Elle entendait, tout contre elle, la respiration oppressée de Gassama.

Sans doute le moment était-il venu de faire demi-tour, de fuir alors qu'il en était encore temps... mais l'étrangeté de ce qui se déroulait dans la forêt aiguisait la curiosité des deux savants et la sourde angoisse qu'ils éprouvaient en détaillant la morphologie des cavaliers et de leurs montures paralysait leurs membres.

Une peur vieille comme le monde coulait dans leurs veines.

* * *
* *

Là-bas, les Angusiens s'étaient remis en selle.

L'air était frais, la lumière claire et les chasseurs indécis sur la direction à prendre. La dernière fois qu'ils avaient vu le mâle solitaire, les coupures des feuilles zébraient la peau de ses épaules et le sang qu'il perdait teintait son corps d'une somptueuse couleur rose.

Les montures sentirent la pression de leurs cavaliers et allongèrent le pas. Elles franchirent la crête de la colline, débouchèrent sur une savane où des bosquets en forme de spirales lovées sur elles-mêmes disposaient leurs labyrinthes devant les grandes orbes grises de la jungle.

Très loin, on perçut un hurlement sauvage que répercutèrent, en vibrant, les anneaux qui pendaient des arbres. Parfois, s'accrochant les unes aux autres, leurs spirales se détendaient, zébrant l'air avec un bruit de lanière. Les feuilles, en crépitant, se figeaient autour des troncs comme des poignées de limaille magnétisée.

Eperonnées, les montures dévalèrent la pente vers la plaine où le mâle luttait encore. De loin, les chasseurs le virent ruser, contourner un éboulement, revenir sur ses pas, disperser la meute à grands coups de pied et de poing. Ecumant de rage, de sueur et de sang, splendide, son corps prenait un fugitif éclat de cuivre quand il passait dans un rayon de soleil.

Lorsque les Angusiens le retrouvèrent, il bousculait les chiens, brisait les reins des animaux déchaînés et les balançait par-dessus sa tête avec un long cri rauque.

A bord du Terraplane, Gassama et Martha Hill sentirent, cette fois, la glace de l'épouvante se cristalliser dans leurs membres. Depuis le début de leur observation, ils s'étaient attendus à une révélation encore plus terrible que celle à laquelle ils avaient assisté en découvrant les cavaliers et la nature de leurs coursiers...

Maintenant qu'ils avaient aperçu l'objet de la chasse, ils étaient muets d'horreur. Ils éprouvaient l'envie de hurler, mais ils ne pouvaient même pas remuer la langue ! Comme des enfants au bord du gouffre, ils se mordaient les lèvres jusqu'au sang sans pouvoir détourner les yeux de l'horrible spectacle.

Là-bas, les deux chasseurs avaient lâché les rênes. Sans prendre garde aux épines de marbre, ni aux longs rubans tressés des frondaisons, les montures bondirent, insensibles au poids de leur cavalier. Parti en tête, l'étalon fut vite rattrapé par la femelle.

La végétation se resserra. Dans le labyrinthe de spirales, de torsades et d'épines enchevêtrées, il fallut suivre des chemins compliqués pour rejoindre le gibier. Ici, les feuilles étaient plus larges, plus acérées. Elles tendaient, devant le fauve qui louvoyait, des mailles impénétrables. Grondant, le grand mâle suivait les rares méandres de sol ras et tombait parfois dans une voie en cul de sac. Il rebroussait chemin, renversant ses poursuivants qui lui déchiraient les mollets à coups de dents, et hésitait devant un nouvel obstacle.

On entendait alors un hurlement de rage, un grognement qui préludait à un démarrage fulgurant dans l'étincellement de la poussière et le crépitement des feuilles. Le souffle du grand mâle à crinière blonde emplissait la forêt, dominait la hargneuse excitation des chiens, arrêtait les chasseurs qui suivaient les traces à distance, de crainte d'être jetés à terre et sauvagement piétinés.

Deux murailles d'épines et de limaille encadrèrent soudain le fauve blond. Il eut un cri de colère, voulut sauter au-dessus du rocher qui lui barrait le passage, glissa, retomba. Acculé, il fit face, impuissant et terrible. On sentait en lui une énergie farouche, une haine concentrée dans ses yeux gris à demi dissimulés par les mèches de sa toison.

Poitrine gonflée, bouche écumante, le mâle faisait front, prêt à faire des coupes sombres

dans les rangs de ses poursuivants. Un chien
qui rampait vers son talon vola en l'air, tête
écrasée et reins brisés. La meute recula, fit
le cercle, crocs découverts.

Les chasseurs mirent alors pied à terre.
Leurs antennes se tendirent en frémissant vers
le rocher où, adossé, leur gibier écartait les
cheveux de son visage en secouant la tête.

La meute formait écran entre lui et les
deux ignobles petits êtres à carapace translucide qui tendaient vers lui leurs pinces fragiles en un geste de menace dérisoire. Les yeux
emplis de haine, il chercha leur regard mais
ne put saisir l'extrémité de leurs antennes qui
vibraient en tous sens.

Il gronda, avança un pied, leur montra le
poing qu'il avait large et dur. Aussitôt, les
chasseurs battirent en retraite, mais le mur
des gueules ouvertes se resserra. Il banda ses
muscles, fléchit les jambes, s'apprêta à bondir.
Il ne vit pas les antennes des deux petits
Angusiens qui s'immobilisèrent dans sa direction, ni les armes qu'ils braquèrent sur sa
poitrine.

La brûlure lui déchira le côté. Il tomba
sur les genoux, tenta un moment de supporter,
de ses deux mains serrées sur son cœur, le
poids de son corps douloureux d'où le sang
s'écoulait.

Veule, la meute resserra le cercle. Elle
hésitait encore à se lancer à la curée. Pendant ce temps, le grand mâle vaincu attendait le chasseur qui fendait les rangs des
chiens.

A l'orée de la clairière, sagement assises l'une près de l'autre, leurs deux mains attachées au licol, les montures le regardaient de leurs grands yeux vides. D'un mouvement d'épaules, la femelle avait remonté son harnais. Elle se frottait au flanc de l'étalon.

Lorsque le chasseur angusien l'ajusta pour le coup de grâce, le fauve blessé ne détourna pas la tête. Il ne leva pas non plus son visage vers le ciel comme le faisaient parfois, d'une manière pathétique, les solitaires frappés à mort.

Au moment où le second dard partait en sifflant de l'arme que dirigeait sur lui le chasseur, l'*homme* terrassé ressentit une douleur aiguë à la base du cou. Il chancela, se tourna vers la monture femelle, *sa semblable,* et plongea ses yeux dans les siens.

Il enfonça les ongles de ses doigts dans sa poitrine, poussa un long hurlement étranglé et s'effondra sur un lit de fleurs de marbre dont les pétales se brisèrent en crépitant.

Sur un signe des chasseurs, la meute s'élança. Et l'on entendit le bruit des mâchoires et le sifflement aigu des feuilles de métal entorsadées que le vent du soir déroulait en spirales.

A l'écart, les chasseurs contemplaient la scène en caressant les flancs de leurs montures humaines. Indifférent à la mort de l'*homme sauvage* aux longs cheveux blonds dont les chiens se disputaient les os, l'étalon se laissait faire. Etendue sur le dos, dans son harnachement que son maître avait desserré, la femelle contemplait la course des nuages dans le ciel. Sa poitrine aux deux seins gonflés en forme de poire se soulevait doucement.

Quand les chiens, repus, se mirent à tourner en rond, les petits chasseurs angusiens ajustèrent les selles sur les épaules de leurs montures. L'homme et la femme harnachés se mirent alors sur les genoux pour permettre à leurs maîtres de les enfourcher, et ils repartirent, à longs pas rapides, dans la forêt d'Angus.

*
* *

Malade de dégoût, Gassama appuyait le front contre le bourrelet de mousse de l'oculaire. Ce qu'il avait vu lui donnait le vertige. Quand il put enfin parler, il dit, d'une voix chevrotante :

— Vite, Martha, rentrez la tourelle ! Il faut regagner le navire !

C'est alors qu'il aperçut, tout au long de la ligne de crêtes qui les séparait de l'*Athos*, une interminable colonne de petits êtres à carapaces transparentes qui cheminaient dans le soleil couchant. Un cri s'étrangla dans sa gorge.

— Si vous ne vous dépêchez pas, hurlat-il, ces abominables cloportes vont avoir le plaisir de nous transformer, vous et moi, en chevaux !

Avant que sa compagne ait eu le temps de manœuvrer la manivelle de la tourelle, Gassama appuya sur le contact et poussa d'un seul coup la manette des gaz. Le Terraplane bondit, se souleva sur le côté et retomba lourdement sur le sol.

L'une de ses deux turbines avait avalé la limaille épandue sur le sol. Ses pâles firent entendre un dernier gémissement, puis elles se turent.

CHAPITRE XIV

— Ça y est ! cria Elisabeth dans l'inter-communicateur, la liaison avec le Terraplane est enfin rétablie !

Du trou d'homme qui donnait accès au réseau d'orgues de la génératrice dont il vérifiait les pipes d'admission, Jasmard répondit dans son microphone individuel :

— Ordonnez-leur de rentrer immédiatement !

Il y eut une série de déclics sur le circuit intérieur, puis, de nouveau, la voix de la doctoresse :

— J'ai l'impression qu'ils ne m'entendent pas, commandant... Et je ne comprends pas grand-chose à leur émission. La modulation est brouillée par des parasites et des interférences.

Pour tenter de rétablir le contact, Elisabeth coupa le réseau intérieur. Pendant un moment, on n'entendit plus rien dans les micro-écouteurs que les cosmonautes portaient à l'intérieur de l'oreille.

L'un aux leviers de la grue hydraulique, l'autre en équilibre sur la passerelle suspendue où il rivetait les rustines blindées sur la coque, Ganon et Carlsberg avaient interrompu leur travail dans l'espoir de surprendre l'émission-radio du Terraplane. Mais, au lieu de la voix de Gassama ou de Martha Hill, ce fut encore celle d'Elisabeth Erl qui fit vibrer leurs tympans.

— Commandant, disait la doctoresse, venez vite ! Ils émettent le signal de détresse !

Dans la salle des machines, Jasmard reposa ses outils.

— Branchez les filtres de correction, dit-il calmement, et mettez les enregistreurs en marche. J'arrive.

Il empoigna le premier échelon du puits d'accès et se hissa vers la coursive. Quand il arriva dans la salle des télécommunications, quelques minutes plus tard, il comprit à la pâleur de la doctoresse qu'il y avait du nouveau. Il n'eut pas le temps de l'interroger car elle se lança contre sa poitrine en étouffant un sanglot.

Sans un mot, il posa la main sur l'épaule de la jeune femme et l'entraîna doucement vers la console de la radio.

— Inutile, fit-elle dans un souffle. Ils ne peuvent pas nous entendre car leur poste est en train d'émettre.

Comme il fronçait les sourcils, elle désigna, d'un geste de son menton qui tremblait, l'écran du magnétoquartz. Jasmard sursauta violemment : les images enregistrées quelques

minutes avant par les caméras du Terraplane
défilaient sur la surface polie du tube vidéo.

A voir les petits monstres à carapaces
transparentes, les humains domestiqués qu'ils
chevauchaient, et celui qu'ils chassaient, la
main du commandant se crispa sur l'épaule
de sa compagne.

La sphère de quartz sur laquelle les caméras avaient emmagasiné les séquences de la
chasse à l'homme sauvage d'Angus continuait
à se dévider.

— Encore deux minutes, fit Martha Hill
entre ses dents, et ceux de l'*Athos* en sauront
autant que nous sur les habitants de cette
saleté de planète !

Gassama avait pris sa tête entre ses mains.
Comme il ne répondait pas, la géophysicienne
insista durement :

— Etes-vous sûr, professeur, que les magnétoquartz du navire sont en train d'enregistrer notre émission ?

L'éthologue parut sortir d'un rêve. Il parvint enfin à secouer de bas en haut son visage
moite de sueur et à murmurer :

— J'en suis certain. Regardez...

D'une main mal assurée, il avait fait coulisser le bras porteur de l'oculaire du télémètre devant le visage de sa compagne. Celle-ci
se pencha sur le viseur et put constater que,
dans le lointain, les antennes paraboliques de

l'*Athos* étaient toutes braquées dans leur direction.

— C'est bien, fit-elle avec un étrange sourire. Quoi qu'il arrive, les hommes de la Terre sauront à qui ils doivent la découverte d'un peuple extra-terrestre qui a domestiqué toute une humanité !

On eût dit qu'elle en éprouvait de l'orgueil. Leur situation, pourtant, n'était guère rassurante : depuis le blocage de la turbine de poupe, en mettant toute la puissance du moteur sur l'hélice horizontale de proue, Gassama avait réussi à soulever l'arrière du Terraplane d'une cinquantaine de centimètres au-dessus du sol. En poussant au maximum la manette des gaz et en emballant l'unique turbine intacte, il avait pu, ensuite, traîner le véhicule sur le flanc de la colline, jusqu'à un endroit où nulle végétation ne faisait plus écran entre leur antenne émettrice et les récepteurs du navire.

Le bruit de ferraille de l'appareil raclant la terre avait arrêté le lent cheminement des cloportes géants. La géophysicienne et l'éthologue avaient alors senti sur eux le regard des petits êtres dont les carapaces translucides reflétaient la lumière du soleil couchant. Ils en avaient éprouvé un tel malaise qu'ils n'avaient pu contenir un frisson d'horreur et s'étaient pris par la main. Ensuite, ils avaient assisté à la débandade des Angusiens qui avaient disparu dans les broussailles en ne laissant que deux sentinelles visibles à l'abri d'un rocher.

Courageusement, Martha Hill avait remonté la tourelle pour les observer ; et elle avait distingué, en gros plan dans l'ovale du télémètre qui balayait la campagne, leurs têtes hérissées d'antennes annelées et frétillantes, et les gros yeux roses à facettes qui ne cessaient de surveiller le Terraplane.

C'est alors que l'éthologue avait tenté, une deuxième fois, de lancer les turbines à l'envers pour les dégager de la masse végétale qui paralysait leurs hélices. Poussé à pleine puissance malgré ses axes bloqués, le moteur avait fait entendre un gémissement aigu. Une odeur de roussi avait empli le véhicule qui, ses bobinages grillés, s'était définitivement immobilisé.

— Si Jasmard n'a pas fait réparer le deuxième Terraplane du vaisseau, avait alors constaté Gassama d'une voix blanche, nous sommes fichus !

Ils avaient alors fait la seule chose possible dans leur situation. Hissant les lourdes antennes de télévision le plus haut possible au-dessus de la tourelle, ils avaient lancé par radio l'appel de détresse. Dès qu'ils eurent capté un signal indiquant que l'*Athos* recevait leur message, ils avaient commuté sur l'indicatif de diffusion d'images et envoyé, par modulation haute fréquence, les images du film enregistré par leurs caméras au cours de la partie de chasse des deux Angusiens.

Ainsi, pensait Martha Hill, même s'il leur arrivait malheur, les occupants de l'aviso seraient les dépositaires d'un film historique, et détiendraient la preuve que l'une des plus grandes énigmes de l'espace avait été percée grâce à elle !

Mais, quelle que pût être l'image posthume que la géophysicienne rêvait de laisser d'elle-même, elle n'en était pas moins persuadée qu'un homme, ou une femme du XXVe siècle n'avait pas grand-chose à craindre des répugnants cloportes d'Angus. Et elle espérait bien retirer le bénéfice de la nouvelle expérience à laquelle elle comptait se livrer !

— Dès la fin de notre émission, dit-elle à son compagnon, assurez-vous que nos images ont été reçues et enregistrées par l'*Athos*. Ensuite, vous donnerez notre position au commandant en lui demandant d'envoyer immédiatement un véhicule de secours. Après, vous braquerez une caméra sur moi et une autre sur ces sales bêtes !

Gassama la considéra avec des yeux ronds. Derrière lui, la géophysicienne venait de décrocher la carabine. L'air décidé, elle vérifiait l'approvisionnement du chargeur.

— Vous n'allez tout de même pas...

Elle lui coupa la parole d'un ton sec.

— Rassurez-vous, professeur Gassama, je ne vais pas tuer tous ces cloportes ! Je compte simplement aller à leur rencontre pour essayer d'établir un contact. N'oubliez pas de filmer la scène. Plus tard, ce document deviendra aussi célèbre dans le monde que les tables de la loi sacrée !

— Vous êtes folle, Martha !

Elle boucla sa combinaison et posa la main sur la poignée de la portière.

— Après tout, fit-elle, ces êtres ne sont dépourvus ni d'intelligence, ni de sensibilité puisqu'ils ont réussi à domestiquer des humains...

— Mais ils peuvent vous tuer !

Martha Hill haussa les épaules. Elle estimait que, quel que pût être le degré d'intelligence des habitants d'Angus, ceux-ci ne devaient pas avoir dépassé le niveau d'évolution du Moyen-Age, puisqu'ils se servaient encore de montures vivantes. Elle espérait donc qu'un Terrien courageux, bien équipé et armé, n'aurait pas grande difficulté à leur tenir tête.

— Si vous aperceviez un cheval revêtu d'un étrange costume au pied d'un véhicule spatial inconnu sur la Terre, fit-elle encore, votre première réaction serait-elle de le tuer ?

Elle pensait que, si les petits êtres à carapaces blafardes devaient manifester des intentions agressives, ils n'en étaient pas moins très lents à se mouvoir, et se disait que quelques projectiles explosifs bien ajustés ne manqueraient pas de les faire déguerpir.

— Bon sang, Martha ! cria Gassama. Ce n'est pas la même chose...

Sur le transmetteur d'images, la sphère de quartz s'arrêta de tourner. A peine audible et haché par les parasites, la voix du commandant Jasmard s'éleva dans le haut-parleur :

— *Ici l'Athos... bien reçu votre enregistrement... demi-tour... revenir immédiatement au navire...*

D'un doigt mal assuré, Gassama bascula

la clef d'émission et porta le micro à sa bouche.

— Impossible, commandant ! Nos deux turbines sont bloquées et le moteur est grillé. Venez à notre secours avec des armes car des Extra-Terrestres semblables à ceux que vous avez vus sur nos images sont tapis dans les herbes de la colline. Ils nous coupent la retraite. A vous l'*Athos* !

Après une bouillie de crachements, la même voix se fit entendre, très lointaine et à peine distincte :

— ... *bloquant toutes les ouvertures de votre engin... pas de Terraplane équipé à bord... plusieurs heures... combien de temps pouvez-vous tenir ?*

— Dites-leur de mettre en route leurs magnétoquartz, dit Martha Hill. Je vais tenter une sortie.

La géophysicienne ouvrit la porte et sauta par terre, puis elle passa la tête par l'ouverture.

— Et n'oubliez pas de suivre tous mes mouvements avec vos caméras !

Aussitôt, l'écran de la salle des télécommunications de l'*Athos* s'illumina. On y vit apparaît la silhouette de Martha Hill, debout, une carabine à la main, qui s'avançait à pas prudents entre les herbes qui lui caressaient la taille.

— Martha est folle ! s'écria Elisabeth.

— Moins que vous ne le pensez, grommela Ganon d'un ton mi-admiratif mi-désabusé. Si elle réussit, le monde entier saura que le premier contact avec des Extra-Terrestres a été établi par le courageux professeur Martha Hill !

— Mais si elle ne réussit pas, fit Jasmard entre ses dents, et si ces êtres sont plus dangereux qu'elle ne l'imagine, c'est toute la mission d'Athos qui risque d'échouer !

Ses mâchoires étaient crispées et ses poings serrés au fond de ses poches.

— Commandant, fit le navigateur, laissez-moi aller à leur secours avec une fusée-scooter !

— Je vous ai déjà expliqué, Carlsberg, que votre existence est la plus précieuse de toutes celles de l'*Athos*. Restez ici pour calculer une trajectoire de retour ! Vous, Elisabeth, essayez de garder le contact avec le professeur Gassama. Ganon, venez avec moi dans la cale ! Nous allons monter les caisses de pièces détachées du second Terraplane dans l'entrepont. Il faudra que l'engin soit en état de circuler avant la nuit !

Avant de partir, il lança un coup d'œil sur l'écran. On assistait toujours à la lente progression de la géophysicienne à travers les buissons rabougris du côteau. Grâce au micro d'ambiance fixé à l'extérieur du Terraplane accidenté, on entendait le crissement de ses pas sur la mousse de limaille, et le crépitement des feuilles qui se détendaient sur son passage. Soudain, on vit une autre image, cadrée en gros plan par la deuxième caméra, celle de la tête d'un petit monstre qui regardait par-dessus les herbes !

Cela ressemblait à la fois à une tête de fourmi, à celle d'une cigale, d'une araignée et d'un termite. C'était gros comme un ballon de rugby surmonté d'antennes quadruples, longues et frémissantes, dont une seule paire était terminée par une sorte de bille rose : des yeux à facettes au regard multiple et glacé !

Paralysés par le dégoût, les quatre passagers de l'*Athos* virent que ce crâne était transparent, et que, à l'intérieur, il y avait une masse sanguinolente aux circonvolutions compliquées !

Elisabeth haletait et Ganon grinçait des dents.

L'image se brouilla. Un parasite déchira l'écran horizontalement, puis tout redevint net.

Sous l'horrible visage du monstrueux insecte, on distinguait l'amorce d'une carapace que cachaient les broussailles. Puis on aperçut une pince, lourde et maladroite comme celle d'un crabe, qui écartait délicatement les herbes... Et une patte velue, blafarde, terminée par trois griffes serrées sur un objet rectiligne qui ressemblait à un tube de verre.

Il y eut une nouvelle série de parasites et d'éclats sur le tube vidéo avant que l'on retrouve, en plan général, l'image de Martha Hill qui contournait un buisson d'épines et s'approchait, inexorablement, de l'Extra-Terrestre tapi à moins de deux cents mètres de là !

Jasmard se reprit. Il poussa Ganon vers la coursive en disant :

— Vite ! Si nous n'arrivons pas à armer le deuxième Terraplane avant le coucher du soleil, Dieu seul sait ce qu'il adviendra de Gassama et de Martha !

CHAPITRE XV

Equipé à la hâte, sa tourelle surmontée d'une mitrailleuse et d'un lance-grenades, ses accumulateurs branchés sur la seule pile mobile à combustible qu'ils aient eu le temps d'activer, le dernier Terraplane de l'aviso put prendre son vol au moment où le soleil lançait un ultime rayon livide dans le ciel d'Angus.

Jasmard le pilotait lui-même. Il était accompagné du professeur Ganon qui, d'apprenti mécanicien, avait été promu, pour la circonstance, au rang d'assistant mitrailleur.

Carlsberg et Elisabeth étaient restés seuls dans l'*Athos*. Le premier avait reçu pour mission de mettre ce délai à profit pour faire ingurgiter sans attendre au cerveau-navigation toutes les données qu'avait recueillies la calculatrice électronique depuis la plongée de l'aviso dans l'hyperespace et, faute de sphère d'espace apparent, de reconstituer logiquement son cheminement complexe dans les nœuds du cosmos. La seconde devait rester en liaison-radio avec le commandant et tenter de rétablir la communication avec Gassama. Malgré leurs tâches, ils ne pouvaient se détourner de l'écran vidéo qui, depuis la transmission de la dernière image représentant Martha se portant à la rencontre des Angusiens, restait désespérément vide.

A l'heure où, dans l'entrepont, Jasmard et Ganon avaient commencé l'assemblage des pièces essentielles du seul engin de reconnaissance dont ils disposaient encore, le navigateur et la doctoresse avaient assisté, impuissants, aux derniers efforts de la géophysicienne. Ils avaient vu la masse grouillante des immondes cloportes se mettre en marche à son approche, mais sans discerner si elle se portait à la rencontre de Martha, ou si elle refluait... Le Terraplane n'étant pas équipé de caméras à infrarouges, la prise de vues était à peine distincte dans la pâle lumière du jour déclinant.

Pourtant, ils avaient encore aperçu les longues spirales noires jaillissant des rangs angusiens comme de sombres serpentins sur une macabre assemblée de fétards. Les habitants de la planète s'étaient servis des rubans végétaux de la forêt à la manière de lanières ou de fouets. Et ce fut le professeur Ganon qui avait sans doute trouvé l'explication du phénomène en s'exclamant : « On dirait qu'ils essayent de la capturer au lasso ! »

Sur l'image déjà très sombre, de lourdes volutes de poussière blanche s'étaient élevées, masquant peu à peu l'issue de la triste aventure de leur compagne. On avait encore entendu le claquement sec des coups de feu tirés par l'exploratrice et deviné, comme une nuée de taches brillantes traversant l'écran, des salves de projectiles silencieux partis des rangs angusiens dans la direction de Martha Hill. Les micros avaient encore capturé un cri étranglé, puis une rumeur atroce et confuse, mais plus aucun coup de carabine !

Quand le nuage de poussière s'était enfin dissipé, la nuit était tombée, et les objectifs des caméras s'étaient révélés impuissants à en percer l'obscurité.

Depuis, le tube de réception scintillait faiblement dans la pénombre de la salle des communications, et les haut-parleurs branchés sur le canal-radio attribué au véhicule des deux savants restaient muets.

Aux commandes du Terraplane de secours, Jasmard fonçait droit au but. Son projecteur forant une route scintillante dans les ténèbres, ses turbines lancées à pleine puissance, l'appareil cahotait sur un coussin d'air si mince qu'il n'absorbait pas tous les accidents de terrain. Durement secoué, accroché des deux mains à la culasse de la mitrailleuse, le professeur Ganon scrutait la nuit dans l'espoir d'apercevoir enfin les premiers Angusiens sur lesquels il aurait pu lâcher ses giclées de mort. Pour la première fois de sa vie, le zoologue éprouvait le désir de tuer, comme si la vie des abominables êtres qu'il avait vus sur l'écran pouvait racheter la mort tragique de leur compagne. Il faisait la connaissance instinctive de la haine que l'homme éprouve trop souvent pour ce qui est étranger et qu'il ne comprend pas, et qui deviendrait peut-être, plus tard, une forme nouvelle de racisme.

Mais, sur toute la largeur du halo du projecteur, il ne distinguait que les buissons rabougris et leurs feuilles noirâtres, en forme de pointes de flèches, qui crépitaient à leur passage et aucune présence sur laquelle assouvir son élémentaire soif de vengeance.

Jasmard ralentit, amorça une courbe, indiqua du menton une cuvette vers laquelle le zoologue braqua aussitôt le projecteur. Le véhicule de Martha et de Gassama apparut alors en pleine lumière, en déséquilibre sur un tas de végétaux réduits en poussière.

Il n'y avait aucun signe de vie, tant à l'intérieur qu'à l'extérieur de l'appareil !

A petite vitesse, Jasmard décrivit un cercle tout au long duquel Ganon éclaira les alentours sans distinguer âme qui vive, terrestre ou extra-terrestre.

Depuis leur départ de l'aviso, ils n'avaient échangé aucune parole. Leurs muscles étaient tendus, mais ils avaient beau scruter le moindre accident de terrain éclairé par leur phare, ou écarquiller les yeux dans l'ombre qui s'étalait au-delà du faisceau de lumière, ils ne découvraient aucune trace du drame qu'avait vécu à cet endroit leur compagne géophysicienne. Si les magnétoquartz n'avaient pas enregistré la scène, ils eussent pu croire qu'ils avaient été le jouet d'une hallucination !

En prenant le Terraplane des deux savants pour point de repère, et la direction de ses caméras pour cap, ils remirent les gaz vers la colline qu'avait gravie Martha Hill avant de se fondre dans le nuage de poussière soulevé par les Angusiens.

Ici comme ailleurs, les pentes étaient désertes !

Il émanait de cette solitude une atmosphère de mystère et d'angoisse qui leur serrait la poitrine.

La rage au cœur, le ventre noué, ils se mirent à ratisser le terrain et finirent par remarquer, sur une roche affleurant le sol, une tache insolite. Jasmard arrêta sa machine, mit pied à terre, et se pencha sur le rocher.

Ganon sortit la tête à la portière du Terraplane qu'il maintenait immobile à moins de cinquante centimètres du sol. Il demanda :

— Qu'est-ce que c'est ?

Jasmard se redressa et répondit d'une voix blanche :

— Du sang !

Ganon se mordit les lèvres pour ne pas suggérer au commandant de remonter aussitôt dans l'appareil et de regagner la carcasse rassurante de l'*Athos*. Un frisson froid remontait de ses reins, serpentait le long de son échine, fourmillait sous ses épaules. Malgré ses yeux embués, il fut le premier à repérer l'objet abandonné sur les broussailles qui reflétait la lumière de leur phare.

— Là !

Jasmard se baissa, ramassa l'objet, le soupesa dans sa paume ouverte et le considéra pensivement avant de le passer au zoologue.

— On dirait un projectile !

Cela ressemblait à un dard. C'était fait d'une matière lourde et dure qui évoquait le *bois de fer* des régions tropicales de la Terre. Cela avait la forme et la taille d'un stylo dont l'une des extrémités eût été aussi affûtée qu'une pointe d'épingle.

Jasmard fouilla entre les broussailles. Il y découvrit une dizaine d'autres projectiles, dont l'un portait, lui aussi, la même tache que la roche.

D'un bond, il fut de nouveau aux commandes de l'appareil qui se souleva, tangua, et partit en sifflant, droit sur le Terraplane accidenté.

Là, le commandant dut se servir de son pistolet pour faire sauter les serrures magnétiques verrouillées de l'intérieur. Quand il put enfin soulever la portière de la tourelle qui s'ouvrit en grinçant, il passa la tête par l'ouverture et ne distingua entre les tôles qu'une ombre impénétrable.

Son arme d'une main et sa torche électrique de l'autre, il s'introduisit dans l'engin pour en ressortir aussitôt après.

— Aidez-moi, dit-il à Ganon.

Les deux hommes hissèrent alors à l'air libre le corps inanimé de Gassama.

Eclairé de plein fouet par le projecteur à iode, l'éthologue était livide. Il gémissait comme un enfant en crispant les doigts sur sa poitrine.

Jasmard lui tapota les joues.

— Réveillez-vous, professeur Gassama !

L'autre émit une sorte de hoquet. Un rictus tordit le coin de sa bouche et une mousse blanche apparut entre ses lèvres.

— Que s'est-il passé, professeur Gassama ?

Jasmard le gifla plus fort. L'éthologue entrouvrit alors une paupière, mais son œil se révulsa. Il émit un long ricanement et retomba dans l'inconscience.

Le commandant et Ganon eurent beau le secouer, ils ne purent rien en tirer. Le temps pressant, ils se résolurent à le déposer entre les deux sièges de leur machine dont ils remirent les moteurs en route pour reprendre leurs recherches.

Des heures durant, sans échanger un mot, ils fouillèrent vainement les alentours. Les collines semblaient abandonnées. A plusieurs milles autour du point extrême atteint par la géophysicienne et l'éthologue, Angus semblait morte et abandonnée. Ils ne découvrirent aucune trace des Angusiens ni de Martha Hill.

— La pile faiblit, grommela Jasmard.

Sa voix était basse et sans timbre. Ganon se contenta de lancer un coup d'œil sur le voyant de charge dont l'aiguille frôlait la zone rouge. Puis il prit l'un des dards ramassés par Jasmard dans les herbes et éprouva sa pointe.

— J'espère que Martha était bien morte quand *ils* l'ont emportée, dit-il enfin.

Il reposa le petit projectile, frotta ses paumes moites sur le tissu de sa combinai-

son, et s'inclina sur Gassama dont la tête dode-
linait sur la tôle de l'engin.

Jasmard se décida enfin à mettre le cap sur
l'aviso dont la haute silhouette leur apparut
dans le halo de leur projecteur.

** *
* **

Cette nuit-là, la rumeur qui bruissait d'habitude autour de l'*Athos* après le coucher du
soleil ne parvint pas à percer le pesant silence
d'Angus. Au-delà de la zone illuminée par les
feux croisés des projecteurs de sécurité, le
velours noir de l'obscurité était chargé de
menaces oppressantes et insidieuses. On eût
dit qu'une atmosphère ouatée empaquetait le
navire et ses occupants.

Avec le laconisme habituel des rapports
de vol, Jasmard nota dans le cahier de bord :
« *Aujourd'hui, une mission de reconnaissance
a pu observer les faits et gestes d'individus
d'aspect archiptère appartenant à une race
vraisemblablement intelligente et organisée.
Voir sphère d'enregistrement quartz n° XX021.
A la suite d'une prise de contact, dans des
circonstances mal connues de l'équipage resté
à bord, et enregistrées sur sphère quartz
n° XX022, un membre de la mission, le professeur Hill, a été touché par plusieurs projectiles lancés par des armes dont nous
n'avons aucune idée. Son corps n'a pu être
retrouvé. Le second membre de la patrouille,
le professeur Gassama, semble avoir perdu la
raison. Note particulière : les montures utili-*

sées par les habitants de la planète Angus III ont une morphologie humanoïde. Se référer à ce sujet à la sphère quartz n° XX021. »

Cette tâche accomplie, le commandant referma le livre de bord après y avoir glissé, dans les compartiments réservés à cet effet, les deux boules d'enregistrement placées dans un sachet scellé.

Un long moment, il resta immobile, la tête entre les mains, à fixer la couverture de plastique du livre où il notait, au jour le jour, les événements saillants de la croisière. Puis il se décida à le rouvrir, sortit son stylo et ajouta : « *Il ne reste vraisemblablement aucune chance de retrouver Martha Hill vivante. Néanmoins, je partirai demain à sa recherche dans la limite des collines, et sans essayer de pénétrer dans le sous-bois. Si aucun élément nouveau n'intervient avant le soir, je consignerai à bord ce qui reste de l'équipage et de la mission scientifique. Nous nous consacrerons alors uniquement à terminer les réparations et à déterminer les coordonnées d'une route de retour. Ensuite, nous nous efforcerons de regagner la Terre.* »

Ainsi, s'il lui arrivait malheur le lendemain et si, quelques années ou quelques siècles plus tard, une deuxième expédition terrienne devait se poser sur Angus III, ses membres pourraient trouver dans la carcasse de l'*Athos* assez de renseignements pour accomplir au moindre risque leur mission de défrichage et de prise de contact avec une société extra-terrestre.

CHAPITRE XVI

La journée suivante, les recherches furent aussi vaines qu'au cours de la nuit.

Chaque mètre carré de la savane, chaque bosquet, chacune des côtes avoisinant la clairière, tout fut fouillé sans succès. Le paysage d'Angus semblait figé, recroquevillé sur lui-même, tassé sous l'implacable lumière. Il n'y avait trace ni de la géophysicienne, ni des êtres qu'elle avait affrontés.

Au retour de la dernière patrouille, Jasmard arrêta le Terraplane entre les béquilles hydrauliques du trépied. Ganon l'aida à le recouvrir de sa bâche, puis il transporta vers le navire les petits containers où il avait rassemblé les spécimens de flore et de faune recueillis sur le terrain prospecté. A l'interrogation muette qu'exprimait le visage de Carlsberg, le commandant répondit d'une voix lasse :

— Rien. Nous ne pouvons même pas savoir si le corps de Martha a été emporté vers le Sud, l'Est, le Nord, ou l'Ouest.

— En admettant qu'elle soit morte ! fit le navigateur sombrement.

Jasmard eut un geste impuissant des deux bras en murmurant :

— Souhaitons-le pour elle !

— Peut-être pourrions-nous découvrir une piste dans la forêt ?

Jasmard secoua la tête.

— L'expérience de Martha et de Gassama prouve que les turbines magnétisent les herbes et que les débris végétaux finissent par bloquer les hélices, répondit-il. Il serait dangereux de s'enfoncer sous le couvert alors que le moindre rideau d'arbres interrompt les communications-radio.

Trois fois dans la journée, aidé par Ganon, il avait dû débarrasser l'intérieur des turbines des bouchons de limaille qui s'y étaient accumulés. Rétrospectivement, il avait froid dans le dos en songeant à ce qui aurait pu arriver si les Angusiens avaient choisi, pour se manifester, le moment où le lourd appareil était maintenu en équilibre instable par la béquille du cric !

Arrivée à son tour au pied de l'échelle de coupée, Elisabeth était toute pâle. Ses lèvres tremblèrent quand elle dit, d'une voix basse, en fixant Jasmard dans les yeux :

— Martha n'est peut-être pas morte.

Elle songeait au sort atroce que les petits monstres à carapace translucide avaient pu réserver à la géophysicienne, et au destin qui l'attendait si, survivant à ses blessures, elle devait un jour être parquée avec les brutes humanoïdes qui servaient de chevaux aux Angusiens !

Jasmard passa son bras autour de ses épaules.

— Pour continuer nos recherches, il faudrait un module d'exploration ou, au moins, un véhicule terrestre plus robuste que le Terraplane. Nous ne sommes plus que quatre, Elisabeth, et nous avons le devoir de tout mettre en œuvre pour informer la Terre de ce que nous avons trouvé ici. Aucun de nous n'a désormais le droit de risquer sa vie. Nous allons donc terminer les réparations de l'*Athos*. Dès que le plan de vol sera établi, nous partirons.

Après un moment de silence, et pour détendre l'atmosphère, il ajouta sans y croire lui-même :

— Avant de piquer en direction du système solaire, nous pourrons survoler Angus à une altitude qui nous permettra peut-être de découvrir la trace de Martha.

Conscient du conflit intérieur qui avait dû se dérouler dans l'esprit du commandant, les autres se contentèrent de baisser la tête. Jasmard toussa dans son poing, serra plus fort son bras autour des épaules de la jeune femme et demanda :

— Comment va le professeur Gassama ?

Elisabeth eut un pâle sourire et s'efforça de prendre un ton professionnel :

— Je ne suis pas psychiatre, fit-elle, mais tout le monde sait que, à l'occasion d'émotions intenses, le cerveau peut mettre en route un mécanisme d'auto-défense qui déclenche un certain nombre d'écrans entre le sujet et la réalité. En d'autres termes, Gassama s'est réfugié dans la folie pour ne pas avoir à supporter consciemment le spectacle auquel il a été contraint d'assister. Je lui ai fait des piqûres sédatives après l'avoir enfermé dans une cabine isolée.

— Pensez-vous qu'il puisse guérir ?

— Je ne puis encore me prononcer, fit la jeune femme avec un soupir.

Dans le cas contraire, ils n'auraient d'autre solution que d'introduire l'éthologue dans la cuve d'hibernation et de le plonger dans le grand sommeil en attendant leur retour sur la Terre... en admettant qu'ils y arrivent jamais !

Le dos voûté, Jasmard s'avança vers l'échelle de coupée. Avant de gravir le premier échelon, il se tourna vers le navigateur dont les yeux, rougis de fatigue, se plissaient dans le soleil couchant.

— Où en êtes-vous de vos calculs, Carlsberg ?

— J'ai commencé à rassembler les éléments qui me permettent de tracer le chemin que nous avons suivi dans l'hyperespace, répondit-il, mais je suis loin d'avoir abouti... J'ai encore besoin de quarante-huit ou soixante-douze heures de travail avant de programmer l'ordinateur...

— Avez-vous déjà une idée du lieu spatio-temporel objectif où se trouve le système Angus par rapport au système solaire ?

Le navigateur se balança d'un pied sur l'autre, puis il répondit avec réticence :

— Euh !... pas encore, commandant.

Jasmard fixa sur lui son regard bleu.

— Allez jusqu'au bout de votre pensée, Carlsberg.

Cette fois, l'autre eut l'air franchement gêné et hésitant.

— Eh bien ! commandant, je ne peux encore rien dire sans sphère d'espace virtuel, c'est difficile, vous comprenez. Mais, si je me réfère au début du tracé de la trajectoire réelle que nous avons suivie tout au long de notre route relative depuis le moment où nous avons quitté la Terre, on dirait que nous avons décrit dans le subespace le premier tiers d'un cercle parfait.

— C'est absurde, fit Jasmard.

— C'est bien pour cela que je dois reprendre mes calculs, avoua Carlsberg.

Il toussota et ajouta aussitôt, comme s'il avait hâte de changer de conversation :

— Pour faire ce travail, j'ai dû renoncer à souder les dernières rustines de la coque. Il en reste quatre à placer pour colmater l'avarie. Ensuite, il faudra fixer le blindage anti-magnétique.

— Je m'en occuperai moi-même, déclara Jasmard. Le professeur Ganon m'aidera avec la grue hydraulique. Quand la réparation de la coque sera terminée, il ne me restera plus qu'une journée ou deux de travail pour remettre la génératrice et l'alternateur en état de marche. Cela veut dire que, d'ici quatre ou

cinq jours, l'*Athos* sera techniquement en mesure de décoller. Le reste dépend de votre
plan de vol, Carlsberg. L'aurez-vous terminé ?

— Je l'espère, fit le navigateur.

Puis il désigna l'un des dards de bois dur
et lourd qui avaient, selon toute vraisem-
blance, blessé ou tué Martha Hill.

— Commandant, ajouta-t-il, je trouve qu'il
ne serait pas prudent de travailler à découvert
sur la coque, sans défense, à plus de vingt
mètres de hauteur, alors que des êtres capables de vous percer la peau avec cette chose-
là rôdent encore dans les herbes.

Jasmard avait conscience du danger mais,
à moins de faire perdre un temps précieux à
chacun en organisant un tour de garde, il ne
voyait pas comment arriver à bout de l'opération de colmatage. Ce fut Elisabeth qui le
sortit de son embarras, tout en lui créant invo-
lontairement un autre motif d'inquiétude.

— Si vous le permettez, dit-elle, j'assure-
rai les rondes de surveillance à bord du dernier Terraplane.

De crainte de mettre la jeune femme en
danger, Jasmard faillit refuser tout net, puis il
se rendit compte que c'était la seule solution.
Il lui adressa un sourire qui ressemblait à une
grimace et répondit :

— D'accord, Elisabeth, à condition que
vous vous engagiez à rester dans un rayon
de trois ou quatre cents mètres autour de
l'*Athos*.

*
**

Aucun d'eux ne ménagea ses efforts. Debout sur la plate-forme, Jasmard ajustait les rustines de deux tonnes que le professeur Ganon, torse nu, aux manettes de la grue, soulevait dans les airs pour les présenter, au demi-centimètre près, en face de leur logement. Tout le temps que durait l'opération de rivetage, le zoologue devait les maintenir rigoureusement immobiles au bout du filin, au risque de broyer les os du commandant qui colmatait les interstices au chalumeau et les recouvrait ensuite d'un blindage étanche.

A l'intérieur de l'astronef, Carlsberg se colletait toujours au cerveau-navigation et au computeur dans le but de reconstituer, année-lumière par année-lumière, leur trajet réel.

Pendant ce temps, Elisabeth n'interrompait ses rondes que pour rendre visite au professeur Gassama qui, en dépit de ses piqûres calmantes, ne cessait de bredouiller des mots sans suite. Comme ses compagnons, elle évitait d'évoquer le souvenir de Martha Hill mais, quand elle était seule aux commandes de son petit appareil, elle ne pouvait s'empêcher d'imaginer l'atroce souffrance morale que devait éprouver la géophysicienne si celle-ci n'avait été tuée sur le coup.

Le Terraplane poursuivait sa course incessante autour de l'aviso dont l'avarie, peu à peu, s'obturait. On pouvait déjà compter les dix-neuf rustines qui dessinaient leur carroyage brillant sur le long fuselage terni par des années de navigation. Il n'en restait plus qu'une seule à souder.

Après la surveillance d'Elisabeth deviendrait inutile. Ils pourraient tous s'enfermer à
l'intérieur de l'astronef, condamner les sas,
et se livrer en toute tranquillité aux derniers
préparatifs d'appareillage. A ce moment, les
cloportes à carapaces translucides, ou d'autres
Angusiens pensants s'il en existait, pourraient
toujours venir en force et donner l'assaut s'ils
en avaient envie !

Les turbines du Terraplane vrombissaient
doucement. Cela tissait un fond sonore rassurant au voyage circulaire et toujours recom-
mencé de la jeune doctoresse. A mesure que
les heures s'écoulaient, elle avait élargi le cercle. A plus de deux milles de l'*Athos,* le Terraplane frôlait maintenant la grand forêt de
l'Ouest.

A chaque passage, Elisabeth contemplait
les énormes fûts d'où jaillissaient, à cent mètres de hauteur, les gigantesques branches aux
formes torturées qui semblaient supporter le
poids du lourd plafond végétal. A intervalles
réguliers, elle annonçait dans le micro, pour
ses compagnons de l'aviso, qu'elle n'avait rien
à signaler.

Peu à peu, sa vue s'accoutumait à l'ombre
de la jungle d'où émanait une odeur de
rouille. Malgré son étrange hostilité, le
paysage lui devenait familier. Il lui arrivait
de ralentir l'allure, de s'arrêter presque, pour
observer l'ombre dense et moite où bourdon-
naient les essaims de moustiques, et d'éprouver le désir d'en percer le mystère.

De l'autre côté, tout était calme. Elle

n'avait qu'à se retourner, coller l'œil à l'oculaire du télémètre pour qu'apparaisse, au centre de l'ovale de l'appareil de visée, la silhouette de Jasmard qui rivetait la dernière rustine métallique de l'*Athos*.

Elle revint au centre de la clairière, débarrassa les turbines des poignées de limaille végétale qui s'étaient collées entre les pales, comme le lui avait prescrit le commandant, puis elle amorça un nouveau circuit.

Cette fois, elle passa si près de la lisière qu'elle distingua, à l'œil nu, une large saignée qui s'enfonçait entre les troncs. On eût dit une sorte de galerie, de couloir qui s'enfonçait en droite ligne dans l'ombre de la grande forêt. Intriguée, elle fit flotter le Terraplane en position immobile puis elle appuya doucement sur l'accélérateur pour s'approcher encore.

Elle vit alors que le sol était lisse et que la caverne ouverte dans le mur végétal était assez large pour le véhicule à coussin d'air.

Son cœur se mit à battre plus vite. Elle fit marche arrière pour éviter que la proximité des frondaisons ne brouillent la communication, se mordit les lèvres et annonça une fois de plus par radio :

— Rien à signaler.

Elle avait décidé de parcourir deux ou trois cents mètres en avant pour reconnaître la galerie naturelle forée dans la sylve noire et de ne faire part de sa découverte au commandant que si le passage ne butait pas sur un cul de sac.

Elle ne doutait pas que Jasmard, en dépit de la prudence que lui imposait la sauvegarde de son navire et de ses passagers, déciderait alors d'organiser une expédition dans cette direction.

Les mains serrées sur les commandes, elle enfonça doucement la manette des gaz. Le Terraplane s'introduisit, avec lenteur, comme s'il tâtonnait avec maladresse, sous le couvert. Aussitôt, l'odeur de rouille devint suffocante.

Le projecteur braqué droit devant, la jeune femme poursuivit courageusement son chemin. Dix mètres plus loin, les insectes pullulaient. Leur vombrissement recouvrait le bruit des turbines tournant au ralenti. Leur vol s'écrasait sur les vitres de l'engin qui se couvrirent d'une multitude de taches sanguinolentes.

Du dôme feuillu que ne perçait aucun rayon de soleil, des lianes se détendaient en zébrant l'air de mille coups de fouet dont certains claquaient sur les tôles. L'obscurité semblait presque palpable tellement elle était dense et épaisse. La lance lumineuse du puissant projecteur butait sur les myriades d'ailes scintillantes des insectes, et se révélait impuissante à éclairer la route.

Dans cette obscurité grouillante d'une vie minuscule qui ne cessait de crépiter sur les tôles de l'engin, Elisabeth regretta son mouvement de témérité, mais la galerie était maintenant trop étroite pour permettre un demi-tour au Terraplane qui, trop hâtivement mis au point, n'avait pas été équipé d'un projec-

teur de recul. Malgré l'angoisse qui sourdait
de cette forêt d'avant la naissance du monde,
Elisabeth se rendit compte qu'elle ne pouvait
qu'avancer en espérant qu'un peu plus loin,
elle aurait assez de place pour faire manœuvrer son engin.

Elle s'aperçut alors que l'aiguille du compas de bord, affolée par le magnétisme de la
végétation, tournait dans tous les sens. Elle
serra les dents pour contenir l'angoisse qui
grandissait en elle, voulut amorcer un virage
autour d'un tronc solitaire, et distingua, au
plus profond de la forêt, un orifice crûment
illuminé !

Là-bas, la galerie végétale débouchait à l'air
libre ! Incapable de s'orienter sans boussole
ni compas, Elisabeth ne pouvait savoir si la
lumière du soleil venait de la plaine où était
posé l'*Athos,* ou d'une autre clairière. Comme
elle n'avait pas le choix et que la limaille des
broussailles commençait à crépiter entre les
pales des turbines, elle dirigea résolument sa
machine dans cette direction.

CHAPITRE XVII

Le Terraplane sortit du couvert comme un sous-marin émerge des profondeurs aquatiques. Pour Elisabeth, ce fut un moment d'intense soulagement mais, éblouie par les rayons d'un soleil éclatant, elle dut fermer les yeux.

Pour éviter de heurter un obstacle invisible, elle arrêta la turbine de direction et sentit aussitôt le léger mouvement de roulis qui prélude à l'arrêt de l'appareil. Celui-ci se stabilisa en s'affaissant doucement sur le sol.

Instantanément on entendit, sous le plancher de tôles, une série de crépitements rageurs. De crainte que les herbes, broyées par les hélices de sustentation, ne bloquent une fois de plus les pales, elle coupa le contact général. Le silence de la nature angusienne qui emplit le véhicule se mit à bourdonner dans les oreilles de la jeune femme.

A en juger par ce qu'elle apercevait à travers le pare-brise constellé de taches d'insectes écrasés, elle n'avait pas regagné la plaine où l'attendait l'*Athos,* mais abouti dans une autre clairière, séparée de l'aire d'atterrissage par une large vallée boisée, et dont la crête d'une côte hérissée de broussailles limailleuses lui masquait l'étendue.

Tout était calme et tranquille. Dans le ciel, un unique et gros nuage allait paresseusement d'Est en Ouest.

Derrière le Terraplane, s'élevait la muraille de la jungle obscure dont elle avait traversé, sans bien s'en rendre compte, un bras de deux milles de large. Partout ailleurs, la forêt primaire s'étendait à perte de vue sur les hauteurs environnantes.

Avant de faire demi-tour, Elisabeth décida de nettoyer le carter des turbines de l'amas de limaille végétale qui s'y était accumulé et, auparavant, de prévenir ses compagnons afin que ceux-ci ne s'inquiètent pas de son silence à la prochaine vacation-radio. Pour procéder à l'émission, il fallait d'abord gagner la croupe en dos d'âne qui lui masquait l'horizon. De cette éminence, en lançant une antenne au bout de l'une des fusées-parachutes dont Jasmard avait équipé le véhicule à coussin d'air, elle ne doutait pas de parvenir à établir une communication-radio par-dessus la zone de perturbation de la forêt.

Elle enfonça la touche de contact, tendit une oreille inquiète au bruit de crécelle de l'unique turbine mise en route et, à allure réduite afin de soulager le moteur, elle fit cahoter le Terraplane, mètre après mètre, sur la distance qui le séparait de la crête. Elle ne pouvait savoir que c'était cette même technique qu'avaient utilisée Martha Hill et Gassama lorsqu'ils étaient tombés en panne à proximité du groupe angusien !

En dépit de grincements lugubres et d'une âcre odeur de brûlé qui s'éleva de la machine, l'appareil parvint, en gémissant, sur la hauteur où il s'immobilisa dans un nuage de fumée. Ce qu'aperçut alors la jeune femme, de l'autre côté de la colline, lui coupa le souffle.

Au creux de la vallée, un tumulus s'élevait, flanqué d'un côté par l'amorce du plateau dont le contrefort s'élevait en pente douce vers les lisières, de l'autre par un minuscule ruisseau qu'enjambait une passerelle de rondins et de lianes. La partie gauche du monticule était masquée par l'ombre portée du nuage qui formait une flaque d'un noir profond sur le sol.

C'était une sorte de tronc de cône, d'une cinquantaine de mètres de diamètre, au faîte duquel une rangée de petites tours bizarrement crénelées avaient été érigées. Il semblait que l'ensemble avait été bâti avec un mélange de végétaux et de terre séchée. Etroites au ras du sol, plus larges à mi-hauteur, des ouvertures en forme de nids d'abeille avaient été creusées dans le mur d'enceinte rudimentaire.

Cela tenait à la fois de la termitière géante, des châteaux forts du Moyen-Age, et des antiques constructions de boue et de bouse de vache où vivaient jadis certaines populations d'Afrique noire. En dépit de l'étrangeté de l'édifice, il s'en dégageait une impression vaguement familière, comme si les architectes qui avaient construit le mystérieux édifice en avaient fait une grossière caricature de monument terrien.

Devant ce *bâtiment* primitif, une ligne de *murailles* ceinturait une série de *cours* de formes octogonales entre lesquelles serpentait une *allée* qui menait aux *portes* et, vraisemblablement, à des salles intérieures. Sur ce *chemin de ronde* aux bifurcations compliquées, de petits êtres octopodes à carapace translucide allaient et venaient.

Fascinée, Elisabeth en vit certains qui portaient des hardes étranges, à la manière de vêtements en lambeaux. Certains tenaient, dans leurs lourdes pinces antérieures qu'ils agitaient en un lent mouvement de balancier, des objets dont on pouvait penser qu'il s'agissait d'armes.

Ils cheminaient de travers, ce qui pouvait ressembler à de la gaucherie ou de la maladresse, mais aussi avec une sorte de préciosité dans les gestes de leurs pattes graciles aux articulations proéminentes.

Grâce au vent contraire, et peut-être à d'autres phénomènes inconnus, l'attention de cette surprenante communauté extra-terrestre n'avait pas été attirée par la brusque apparition du Terraplane dont la partie supérieure de la tourelle devait pourtant être visible du creux de la vallée. L'engin était si proche qu'Elisabeth n'avait nul besoin de télémètre ni de jumelles.

La jeune femme pouvait observer, à l'œil nu, l'étonnante activité qui se déroulait devant elle. Les monstrueux cloportes angusiens transportaient des charges. D'autres observaient le ciel ou quelque spectacle connu d'eux seuls, qui se déroulait vers les lisières les plus éloignées. L'un d'eux manipulait avec ses pinces un objet qui, à n'en pas douter, était un outil. Ses gestes étaient lents et maladroits.

Certains semblaient s'interpeller avant de se livrer à de mystérieuses occupations. Ils s'arrêtaient alors, face à face, et l'on voyait les longues antennes vibratiles qu'ils dirigeaient l'un vers l'autre et qui se mettaient à frétiller.

De tout ce mouvement qui ne pouvait pas ne pas répondre à une volonté ou à une organisation collective développée, se dégageait une atmosphère paisible et rassurante. Elisabeth se trouvait en quelque sorte dans la situation d'un entomologiste qui observe une fourmilière, mais elle éprouvait en même temps un curieux sentiment d'indiscrétion. Elle regrettait aussi que les caméras du dernier, et désormais unique Terraplane dont disposait la mission, aient été démontées pour faire place à une mitrailleuse et à un lance-grenades. Il lui semblait que, pour horribles qu'elles pussent paraître à un œil humain, ces petites bêtes angusiennes devaient être inoffensives. Elles étaient si lentes à se mouvoir, si malhabiles dans leurs gestes, si fragiles en dépit de lourdes carapaces à travers lesquelles apparaissait le réseau de leurs organes, qu'elles ne pouvaient représenter un danger réel !

Puisqu'elle ne disposait d'aucun appareil d'enregistrement, Elisabeth devait informer ses compagnons ou regagner l'*Athos* pour prendre un magnétoquartz et une batterie de caméras. Dans le premier cas, il lui fallait lancer une antenne par fusée-parachute, dans le second procéder d'abord au nettoyage des turbines. Quelle que fût sa décision, elle ne doutait pas que Jasmard devait déjà s'inquiéter de son silence alors que l'heure de la vacation-radio était passée depuis plusieurs minutes. Peut-être même le commandant s'étonnait-il de ne plus apercevoir le Terraplane dans la zone de visibilité de l'*Athos*...

La jeune femme scruta le ciel. D'une part, le sifflement de la fusée risquait d'être perçu par les occupants du tumulus, mais le bruit de ferraille du démontage des carters serait encore plus sonore...

Elle décida donc d'actionner d'abord le cric de l'engin et de faire coulisser les jupes des hélices, toutes opérations qui pouvaient s'effectuer en silence, pour réduire le temps de nettoyage des turbines ; puis d'attendre que l'ombre du nuage vienne obscurcir l'endroit où elle se trouvait afin que d'éventuels observateurs, éblouis par le soleil, ne puissent aisément repérer le Terraplane. Il lui resterait alors à lancer la fusée pour émettre son message tant que l'antenne serait suspendue au parachute, à vider les lumières des turbines de la limaille accumulée, à remettre les moteurs en route, et à fuir si les Angusiens manifestaient des intentions agressives.

Le cric fonctionna sans un heurt. A regret, Elisabeth quitta son poste d'observation pour se glisser sous la jupe de l'appareil où elle entreprit de déloger les carters. Plusieurs poignées de végétation finement hachée et agglomérées en tas compacts tombèrent sur le sol. Quand le moment serait venu, il ne resterait plus qu'à faire basculer la grille de protection des hélices avant de lancer les turbines, à plein régime, en sens inverse, pour les débarrasser des débris magnétisés.

La jeune femme agissait comme le lui avait montré Jasmard, avec précision et sans un geste inutile. Lorsqu'elle eut terminé, elle laissa le véhicule incliné à trente degrés sur le côté, reposant sur la jambe du cric ; puis elle revint à l'émetteur qu'elle régla au maximum de sa puissance, et fixa l'extrémité de l'antenne volante à la boucle du parachute de la fusée. Ainsi prête, elle s'allongea à plat ventre entre les broussailles pour continuer d'observer le tumulus.

En se dirigeant vers elle, l'ombre du nuage venait de révéler le terrain qui ceinturait la partie la plus éloignée des *murailles* de boue séchée. Un fourmillement froid naquit au creux des reins de la jeune femme. Il remonta le long de son dos et emprisonna sa nuque dans une serre glacée.

Ses deux mains se crispèrent sur la terre et les ongles de ses doigts se retournèrent. Elisabeth ne ressentit pas la douleur, tant fut intense l'émotion qui l'étreignit.

Pour ne pas crier son dégoût à la vue de ce qui lui apparut à l'endroit que l'ombre du nuage lui avait caché jusqu'alors, et pour résister à son envie de fuir immédiatement, elle se mordit cruellement les lèvres.

*
* *

Les tiges à demi calcinées de la végétation fouettaient les bottes de Jasmard. Seul et à pied, il s'était éloigné d'une centaine de mètres de l'*Athos* dont il contemplait la coque enfin remise à neuf.

Malgré le drame qui s'était déroulé au large de l'anti-planète Golthos, et en dépit du triste destin de la géophysicienne de l'équipe, le commandant avait tout lieu d'être satisfait. Son astronef avait évité l'anéantissement et, même si la mission restait inachevée, elle ramènerait sur Terre plus de renseignements qu'aucune flottille de reconnaissance spatiale n'en avait jamais glané !

Le système d'Angus avait été localisé dans l'espace-temps. La route qui y conduisait avait été défrichée. Phénomène sans précédent, l'implosion de la planète invisible levait un voile sur le mystère de l'anti-matière et expliquait la naissance des ceintures d'astéroïdes. Enfin, pour la première fois, une race intelligence avait été rencontrée sur l'un des milliards de corps célestes de la Galaxie.

Certes, le chef de l'*Athos* aurait aimé

exploiter lui-même cette exceptionnelle mois-
son de renseignements du plus haut intérêt
scientifique. Mais, privé du matériel indispensable, son équipe démantelée et réduite à sa
plus simple expression, il avait choisi de sau-
vegarder l'essentiel pour le transmettre aux
hommes de la Terre. Ainsi, d'autres pourraient étudier les coutumes du peuple angusien, établir un contact avec les cloportes
intelligents et, peut-être, favoriser leur développement. D'autres encore s'efforceraient de
déterminer la raison pour laquelle, dans la
nuit des temps, l'esprit avait soufflé sur la
famille des étranges insectes à carapaces translucides, plutôt que sur l'espèce humanoïde
également présente sur ce sol.

Il éprouvait à la fois un vague regret
d'abandonner à de futures expéditions terriennes cet extraordinaire terrain d'investigation, et une grande satisfaction d'avoir transformé l'épave de l'*Athos* en un bel aviso capable d'affronter un nouveau plongeon dans le
subespace. Car les fissures des piles atomiques avaient été colmatées, l'accélérateur à
particules était en état de le propulser à une
vitesse foudroyante vers cette région de la Voie
lactée qu'habitait la lointaine Terre d'où ils
étaient venus.

Avant de partir, il ne restait plus qu'à établir la copie négative du plan de vol de leur
voyage aller dont le tracé avait disparu dans
les débris des sphères d'espace apparent et de
s'en servir de modèle inversé pour déterminer
la direction du système solaire. Grâce aux

ordinateurs du bord et aux observations
fragmentaires du cerveau-navigation qui
n'avait pas été endommagé par l'explosion,
Carlsberg était sur le point d'aboutir. Le lendemain, l'*Athos* se soulèverait sur une longue
colonne de feu et de lumière.

Par acquit de conscience, le commandant
ferait mettre en batterie les détecteurs dans
le but de retrouver la trace de la géophysicienne, mais il ne se faisait guère d'illusion
sur les chances de la ramener vivante...
Comme Goldenberg, comme Kowalsky,
comme Bohl, Chlang et tous ceux qui avaient
laissé leur vie près de Golthos, Martha Hill
reposerait à jamais à une inconcevable distance de sa planète d'origine, dans ces régions
du bout de l'espace dont les astronautes qui
croient en Dieu se demandent si Sa Grâce est
assez vaste pour englober une telle quantité
de parsecs.

Jasmard promena un long regard sur la
savane qui l'entourait. Pour la première fois
depuis l'atterrissage, il avait le temps de contempler l'étrange paysage qu'il n'avait parcouru qu'une seule fois et d'où il avait ramené
le professeur Gassama qui reposait depuis
dans le caisson d'hibernation.

Et, soudain, il prit conscience d'un détail
insolite, comprit que la brusque bouffée d'angoisse qui lui gonflait la poitrine procédait du
silence de la clairière, et partit en courant vers
le navire.

A la mine défaite de Ganon qui l'accueil-
lait dans la coursive de la salle des communi-

cations, il sut que le zoologue s'était, lui aussi, aperçu de la disparition du Terraplane !

— Voici le message que je viens de capter, dit le savant d'un ton lugubre.

Il appuya sur la touche d'un magnéto-quartz qui fit entendre, à demi brouillée par les crachements des parasites, la voix d'Elisabeth qui appelait à l'aide.

CHAPITRE XVIII

En glissant sur la paroi verticale du tumulus où elle s'était brisée à angle droit pour s'étendre jusqu'au ruisseau où elle s'étalait le long de la berge, l'ombre du nuage avait révélé l'existence d'un enclos en bordure de l'étrange bâtiment.

De la colline, Elisabeth observait alors un petit être translucide qui semblait chauffer sa carapace aux rayons du soleil. Ses pattes antérieures repliées sous son corps qui prenait dans la lumière des teintes chatoyantes, il lissait paisiblement ses antennes repliées sur son crâne.

Sortant d'un orifice latéral du tumulus, une autre créature, un peu plus grande et plus lourde, était venue le rejoindre de cette démarche précautionneuse, saccadée et louvoyante caractéristique des Angusiens. Face à face, les deux Extra-Terrestres avaient échangé une sorte de salut qui s'était exprimé par un long frémissement de leurs mandibules.

Cette cérémonie achevée, le premier s'était remis sur pieds. Il avait saisi un objet dans sa pince antérieure et agité ses antennes dans la direction de son compagnon. Puis, tous deux, de leur allure hésitante et gauche, ils s'en étaient allés, en contournant les cours octogonales, vers l'arrière de la construction.

C'est alors que la jeune femme, apercevant l'intérieur de l'enclos, avait senti ses muscles se contracter sous l'aiguillon de la peur et du dégoût.

Prisonniers des clôtures de branchages et de feuilles angusiennes entrelacées, il y avait là des hommes et des femmes attachés par le col à des pieux fichés dans le sol !

Entièrement nus, le corps glabre ou recouvert d'une fine toison, les cheveux pendant jusqu'à la taille, ces humains avaient l'attitude du bétail de la Terre ! Accroupis sur leurs talons ou allongés à même le sol, ils attendaient, avec la patience infinie des animaux domestiques, le bon vouloir de leurs maîtres. Leurs yeux fixes n'exprimaient rien.

C'était le vide total de ces regards qui impressionnait le plus Elisabeth. Dissimulée dans les broussailles, la jeune Terrienne tremblait, non seulement d'angoisse, mais aussi de la honte et de l'horreur que lui inspiraient ses semblables asservis. Son cœur battait à tout rompre dans sa poitrine.

On eût dit que le petit être qui avait ouvert et refermé derrière lui la porte de l'enclos, était le *gardien* de ces hommes et de ces femmes aux membres entravés ! Quand il s'aps'approcha de leur groupe craintif, certains se levèrent et se mirent à tourner autour de leurs pieux. D'autres, les avant-bras liés à leurs chevilles, sautillaient sur place, presque gaiement.

Une irrépressible envie de fuir tenaillait Elisabeth. Elle éprouvait l'impérieux besoin de regagner l'*Athos,* de retrouver de *vrais* visages humains, de parler la langue de la Terre, de se réfugier contre la poitrine de Jasmard. Mais les Extra-Terrestres et leurs tristes montures ne mettraient-ils pas moins de temps pour gravir la pente de la colline qu'il ne lui en faudrait pour terminer bruyamment le nettoyage des turbines et se réfugier, si besoin était, dans la vitesse de sa machine ?

Là-bas, la petite créature repoussait les humains les plus empressés. Elle le faisait sans brutalité en agitant, au bout de sa pince, une sorte de fouet. Devant le portail de l'enclos, son semblable attendait en agitant ses antennes dans toutes les directions.

Dans le troupeau d'humanoïdes, le *gardien* choisit enfin une femme dont la chevelure rousse était nouée dans le dos. De sa pince antérieure, il lui caressa les fesses et, d'une de ses autres pattes, il saisit un objet qu'Elisabeth ne put voir distinctement mais qui devait être une laisse dont l'extrémité était fixée dans le nez ou dans les lèvres de la monture femelle.

En levant son fouet, l'Extra-Terrestre la fit mettre à genoux. Il fixa ensuite sur ses épaules une sorte de siège dont il noua les sangles sur la poitrine où pointaient deux seins ronds et fermes.

Entre-temps, le deuxième Angusien avait pénétré à l'intérieur de l'enclos. Le *gardien* l'aida à se mettre en selle.

D'un coup de reins, la femme-monture se leva, secoua sa longue chevelure dans la brise, entrouvrit les lèvres sur un cri inarticulé et se mit en marche. Elle franchit le portail que le cloporte à carapace transparente referma derrière elle, reçut un coup de cravache de son cavalier et se mit à courir. Au petit trot, elle traversa la passerelle au-dessus du ruisseau et gravit la côte, droit dans la direction du Terraplane !

Pour Elisabeth, ce n'était plus qu'une question de minutes. L'imminence du danger lui rendit toutes ses facultés de décision. Elle bondit vers sa machine, saisit le lance-fusée qu'elle dirigea sur le ciel et tira.

L'antenne n'avait pas encore atteint le point le plus élevé de sa course, et le petit parachute n'était pas encore ouvert dans le ciel, qu'elle était déjà dans le véhicule, toutes portes fermées. Le micro contre les lèvres, elle décrivit très vite sa situation et annonça à voix basse qu'elle allait essayer de regagner le navire par ses propres moyens.

La détonation du lance-fusée et l'ouverture de la petite fleur blanche à laquelle pendait un fil brillant, avait stoppé net la course du cavalier angusien.

Elisabeth mit à profit le répit qui lui était ainsi accordé pour emballer les hélices de sustentation du Terraplane. Elle les laissa tourner à plein régime pendant trente secondes en espérant qu'elles évacueraient les amas de limaille.

A deux cents mètres de là, le premier moment de stupeur passé, le cavalier angusien éperonnait sa monture humaine. Elisabeth comprit qu'elle n'avait pas le temps de descendre de son véhicule pour fixer, sous le châssis, les grilles des hélices et les jupes des turbines. Elle inversa aussitôt le sens de rotation des moteurs et pesa sur les commandes de son engin.

D'abord, le Terraplane se souleva pesamment, puis le régime de la machine s'établit et la jeune femme sentit que les commandes devenaient fermes dans ses mains Elle appuya sans plus attendre sur la manette d'altitude et amorça un demi-tour.

Le Terraplane s'éleva encore, tourna lentement sur lui-même. La manette des gaz poussée à mi-course, les moteurs firent entendre un sifflement feutré et rassurant. Le regard fixé droit devant elle, les mâchoires serrées, Elisabeth s'efforça de le faire démarrer sans à-coups, mais la béquille de cric qu'elle n'avait pas eu le temps de relever, laboura le sol et buta sur une roche où elle s'ancra.

Au loin, le parachute de l'antenne perdait peu à peu de l'altitude. Dans le haut-parleur, on entendait encore la voix un peu haletante de Ganon, mais la jeune femme était trop occupée pour lui répondre. Elle imposa à son véhicule une brutale marche arrière qui eut pour résultat d'enfoncer plus profondément dans la terre l'ergot de la jambe du cric.

Affolée, la doctoresse tenta bien d'expliquer sa situation dans le micro, mais rien ne lui répondit : le parachute de l'antenne descendait au-dessous de la ligne boisée des crêtes, coupant toute communication avec ceux de l'*Athos*...

En jetant un coup d'œil par-dessus son épaule, elle vit que le gros cloporte, assis sur les épaules de sa monture humaine, franchissait le dernier talus de la colline. En un éclair, elle devina, plus loin dans la vallée, l'animation soudaine qui s'emparait de la population du tumulus, et comprit que les Extra-Terrestres étaient en train de seller d'autres humains pour rejoindre celui qui n'était plus qu'à quelques mètres derrière elle !

Jouant le tout pour le tout, elle appuya à fond sur la manette d'accélération, donnant le maximum de puissance au couple de sustentation et aux turbines de direction. Après une brève marche arrière, le Terraplane rugit, se souleva de l'avant et amorça un départ fulgurant dans la direction de la forêt.

La béquille du cric fora un long sillon dans le sol et heurta encore le rocher. L'engin s'arrêta net dans son élan et se mit à vibrer. Un instant, il resta sur place comme s'il flottait, au point fixe, au cours d'un vol d'exercice, puis il oscilla et fit entendre un sifflement aigu de turbines emballées.

De la sueur plein les yeux, Elisabeth vit l'horizon basculer.

Déséquilibré, l'appareil s'affaissa sur le côté et se renversa dans les broussailles avec un bruit de tôles défoncées.

Le tube de la mitrailleuse s'enfonça dans la terre et le lance-grenades roula le long de la pente.

* ***

Enfermé entre les cloisons insonorisées de la chambre de navigation, le lieutenant navigateur Carlsberg n'avait aucune idée des préparatifs auxquels se livraient le commandant Jasmard et le professeur Ganon, depuis que ce dernier avait capté le S.O.S. émis par le Terraplane.

La tête entre les mains, accoudé au tableau du cerveau-navigation, Carlsberg contemplait avec incrédulité les douze cartes perforées où se résumait le travail des jours et des nuits durant lesquels il s'était efforcé de calculer la trajectoire que devait décrire l'*Athos* pour rallier la Terre.

A défaut de globe d'espace virtuel, à l'intérieur duquel le robot navigateur, couplé aux ordinateurs, aurait aisément matérialisé la route à tracer dans le continuum spatio-temporel par un scintillement vert, il avait dû construire une sphère de plastique dans laquelle il avait fondu un filament magnétisé. Il avait ensuite traduit les données du computeur en impulsions électro-magnétiques dirigées à l'intérieur du simulateur, directement sur le filament.

Celui-ci s'était alors tordu dans le vide de la sphère pour prendre la forme d'une boucle spirale lovée sur elle-même. Le dessin ainsi réalisé dans les trois dimensions était, en quelque sorte, un modèle réduit de la trajectoire qu'il fallait décrire dans le vide intersidéral. Mais, ce qui avait paru ahurissant au navigateur, c'était l'absence de point de départ et de point d'arrivée !

Bien que ne représentant pas une boucle parfaite, mais une sorte de *bande de Möbius,* le tracé était *fermé !* Autrement dit, partant d'un endroit X de l'espace, en l'occurrence la Terre, l'*Athos* ne semblait pas avoir atteint un autre endroit Y du même espace, c'est-à-dire Angus où ils se trouvaient, mais bien un endroit X qui correspondait, logiquement, au lieu spatial théorique d'où ils étaient partis !

Le chemin poursuivi jusqu'alors dans l'hyperespace pour aboutir au système Angus, et donc le chemin à faire en sens inverse pour regagner leur système solaire d'origine, aboutissait apparemment à son point de départ inversé par rapport aux lois cosmiques ! Ce qui était impossible car l'*Athos,* même s'il avait glissé dans une faille temporelle du continuum, ne pouvait avoir suivi une route circulaire et fermée, puisqu'il serait alors rentré directement sur Terre, au lieu d'arriver sur Angus !

Persuadé d'avoir commis une erreur incompréhensible, le navigateur avait repris ses calculs trois fois de suite... pour aboutir toujours au même résultat !

La vérité commençait à clignoter dans les pensées confuses de Carlsberg, mais elle était tellement invraisemblable, tellement contraire aux lois physiques, que son esprit se refusait à l'admettre ! Pour se détendre, il s'efforça de marcher de long en large entre les appareils qui encombraient l'étroite cabine.

— C'est alors que le haut-parleur du circuit intérieur se mit à grésiller au plafond.

— Allô ! Carlsberg ? fit la voix de Jasmard. Nous venons de recevoir un message du Terraplane. Elisabeth est en difficulté de l'autre côté de la forêt ! Ganon et moi nous partons la rejoindre avec deux fusées-scooters.

Une sorte de fatalité s'attachait à toutes leurs actions depuis qu'ils avaient fait ce plongeon dans l'hyperespace pour foncer vers un système de la Galaxie dont on ignorait encore s'il existait réellement ou s'il n'était qu'un phantasme fabriqué par des cerveaux électroniques des sondes automatiques ! Carlsberg eut soudain l'impression que ses jambes pesaient plusieurs tonnes. Quand il parvint enfin à la console où il avait laissé son microphone, il demanda d'une voix blanche :

— Les Angusiens ?

— Oui, ils attaquent le Terraplane !

— Attendez-moi, dit le navigateur. Je viens avec vous.

— Pas question, répondit la voix de Jasmard. Si nous ne sommes pas de retour avant le coucher du soleil, mettez à feu et disparaissez dans l'espace ! Avec un peu de chance, et grâce à tous les robots de l'*Athos,* vous arriverez peut-être à ramener seul le navire sur la Terre et à vous en tirer. Bonne chance, Carlsberg !

Le navigateur eut envie de répondre que, pas plus que ses compagnons, il n'avait désormais besoin de chance, et que le chemin de leur destin était à la fois beaucoup plus simple et beaucoup plus complexe qu'aucun d'eux ne l'avait imaginé ! En dépit de l'énormité de sa découverte et des conséquences de la catastrophe qui venait de survenir de l'autre côté de la forêt, il était assez lucide pour se rendre compte que Jasmard ne pouvait pas laisser la fusée sans, au moins, un occupant à bord. Il avala sa salive pour contenir les tremblements de sa voix, approcha ses lèvres du micro de l'intercommunication et murmura :

— Bonne chance, commandant.

Puis, à pas lents, il se dirigea vers le hublot d'observation et posa le front sur la vitre fraîche.

A l'étage inférieur, de l'écoutille qui venait de s'ouvrir, jaillirent deux minces traits de feu qui plongèrent vers le sol et se rétablirent à un mètre au-dessus des broussailles calcinées. Sanglés dans les harnais des fusées-scooters, la visière de leur casque rabattue sur le visage, Jasmard et Ganon filaient en droite ligne vers la ligne noire des lisières.

Seul à bord de l'astronef avec, pour tout compagnon, le corps de Gassama plongé dans le long sommeil du caisson d'hibernation, Carlsberg se mit à attendre.

Alors qu'il venait enfin de comprendre que le temps n'a pas de mesure, pour lui les secondes s'égrenèrent. Elles étaient longues comme des heures.

CHAPITRE XIX

Le premier mouvement d'Elisabeth la jeta contre la porte du Terraplane.

Elle empoigna le loquet, tira de toutes ses forces, secoua le panneau qui résista ! La terreur aiguisait ses sens au point qu'elle pouvait presque entendre, dans son dos, la cavalcade des Angusiens qui gravissaient le côté masqué de la colline.

Les doigts en sang, elle s'acharna, s'arcbouta, voulut ouvrir la porte à coups d'épaule.

Vainement. Les tôles tordues de l'engin grincèrent, mais elles bloquaient les serrures !

Au bord de la crise de nerfs, la jeune femme étouffa un sanglot. Elle s'efforça de respirer, puis de réfléchir, et comprit que le réflexe qui l'avait poussée à fuir l'aurait sans doute conduite droit à la mer, car elle n'aurait pu aller bien loin dans l'obscurité poisseuse de la forêt ! Prisonnière de son véhicule, elle n'avait de salut à attendre que de la solidité de la carrosserie, en attendant l'aide de ses amis.

Mais ceux-ci avaient-ils capté son appel ? Elle se souvint de la voix angoissée du zoologue de garde dans la salle des communications de l'*Athos*, et tourna un visage pathétique vers le haut-parleur qui ne cessait de grésiller faiblement. Elle songea à lancer une deuxième antenne pour rétablir la liaison-radio mais elle y renonça car elle aurait dû, pour braquer le lance-fusée vers le ciel, briser la vitre du pare-brise ou de la portière à coups de pistolet, ouvrant ainsi une brèche pour les Extra-Terrestres dans la carcasse du Terraplane.

Elle se souvint que ceux-ci n'avaient pu s'emparer du professeur Gassama qui était resté enfermé dans son appareil et songea, plutôt que de sombrer dans la folie comme l'éthologue, ou de tomber entre les pattes des abominables cloportes comme la géophysicienne, à garder pour elle-même les charges de son pistolet.

Elle se recroquevilla entre les sièges de l'engin au moment où, dehors, les longs rubans végétaux des arbres se mirent à se lover sur eux-mêmes en sifflant. Ils s'écartèrent en bruissant devant le premier humain nu et son cavalier à carapace transparente !

Un frisson d'horreur la secoua des pieds à la tête. Elle claquait des dents.

Plus que le corps translucide à l'intérieur duquel on voyait battre le cœur de l'Angusien et le sang irriguer ses répugnants organes, ce furent les yeux de la monture à corps et tête de femme qui la remplirent d'épouvante. Car, pour la première fois, elle voyait un

humain *sans* regard ! Sous la courbe brous-
sailleuse des sourcils à demi dissimulés par
des mèches de cheveux en désordre, les yeux
reflétaient un vide absolu, une absence totale
de sentiments et d'idées qui donnait le vertige !

Prisonnière du Terraplane comme d'une
cage de métal et de verre, elle assista à l'arrivée de cinq nouvelles montures, deux
hommes et trois femmes, le corps marbré de
longues traînées de sueur, de poussière et de
sang séché. Chacune d'elle portait une sorte
de selle où s'agrippait un insecte de la taille
d'une tortue géante, ses antennes hérissées
dans la direction du véhicule terrien.

Elisabeth aurait voulu fermer les yeux
mais une force plus puissante que sa volonté
la forçait à regarder le spectacle qui s'ordon-
nait, dehors, pour elle seule.

Les narines palpitantes des humanoïdes
étaient percées par deux petits anneaux reliés
aux rênes que tenaient leurs maîtres, soit
dans leur grosse pince antérieure, soit dans
les griffes qui terminaient leurs pattes fragiles
et velues. Ils respiraient avec force, en gon-
flant leur poitrine sur laquelle se rejoignaient
les sangles de la selle.

Les cavaliers mirent pied à terre. C'étaient
des petits monstres de trente centimètres de
haut et de cinquante centimètres de long, maladroits et gauches, qui se déplaçaient avec une
pesante lenteur sur les huit pattes flexibles
qui griffaient le sol.

A l'extrémité de leurs antennes frontales,

de gros yeux globuleux à facettes lançaient des reflets roses quand ils fouillaient l'intérieur du Terraplane.

Paralysée par l'impuissance, Elisabeth en compta bientôt une trentaine qui s'agitaient dans tous les sens, comme s'ils cherchaient un moyen de la faire sortir de sa prison de métal.

De la crête où ils s'étaient groupés, plusieurs d'entre eux braquèrent leurs armes en forme de sarbacane sur l'engin qui résonna sous une grêle de projectiles. Les dards frappèrent le verre et les tôles à l'épreuve des balles, avec une violence telle que la carrosserie se bossela par endroits, mais sans jamais se laisser entamer.

Quatre créatures dont la carapace luisait faiblement se réunirent alors à l'écart. Aplaties sur le sol, les pattes repliées, on eût dit qu'elles se consultaient en se caressant du bout de leurs antennes. Quand leur conciliabule prit fin, et sans qu'un geste ne fût échangé, ceux qui étaient restés dans les herbes se mirent en marche. Ils arrivèrent, en rangs serrés, sur le véhicule renversé, et l'on entendit leurs pinces et leurs pattes racler le métal avec un bruit sinistre.

Incapable d'un seul mouvement, Elisabeth assista en tremblant à l'escalade du plus fort d'entre eux, dont la grosse tête hérissée d'antennes, de soies et de protubérances apparut à l'angle du pare-brise. Ses yeux roses striés de rouge et de noir frappèrent la vitre avec un claquement sec.

Les dents serrées sur ses doigts qu'elle
mordait jusqu'au sang, la jeune femme vit
l'animal osciller, tendre sa pince vers le toit
pour rétablir son équilibre, et glisser lourdement sur le sol où il se retrouva sur le dos.
Ses pattes s'agitèrent comme celles d'un cloporte renversé sans que les autres s'en occu-
pent. Il finit pourtant par se redresser tout
seul et par repartir en avant, lentement, avec
l'entêtement d'une mécanique, pour reprendre l'escalade du Terraplane. L'extrémité de
ses antennes vibrait.

Comme tous ceux qui s'acharnaient sur la
carrosserie glissante, il retomba une fois
encore et recommença, inlassablement, jusqu'au moment où l'une des quatre créatures
qui n'avaient cessé de se consulter, front
contre front, à l'écart, dressa ses antennes et
émit un long bruissement de cigale.

Les assaillants se regroupèrent alors et,
avec leur lenteur et leur maladresse habi-
tuelles, ils s'en furent vers les hommes et les
femmes domestiqués qu'ils avaient parqués à
quelques pas de là. Ils durent s'y reprendre à
plusieurs fois pour les libérer de leurs entra-
ves mais, une fois les liens des humanoïdes
dénoués, ils saisirent leurs brides avec beaucoup d'adresse et n'eurent aucune peine à les
faire agenouiller. Ils leur parlèrent alors à
l'oreille et leur caressèrent les reins. Ensuite,
à petits coups de cravache ou de pince, ils les
lancèrent à l'assaut du Terraplane.

Devant les vains efforts des Angusiens pour
défoncer son refuge, Elisabeth avait repris

espoir. Quand elle vit les humains d'Angus foncer, tête baissée sur son engin, elle comprit que celui-ci ne pourrait résister longtemps à leur assaut.

Avec le front et les poings, les brutes se mirent à cogner sur la coque de l'appareil qui résonna sous leurs coups. Aucun d'eux ne songea à regarder à l'intérieur. La présence d'une femme, leur semblable, derrière les plaques de tôle et de verre, leur était totalement indifférente !

Le sang giclait de leurs poings et de leurs têtes mais, inexorablement, ils continuaient de cogner, de plus en plus fort.

Tapie entre les sièges, au-delà de la peur qui lui nouait le ventre, Elisabeth crispait, à s'en faire mal, les doigts sur la crosse de son pistolet. Elle avait décidé de tirer les dix-neuf premières charges de son arme sur les premiers assaillants qui parviendraient à disloquer la carrosserie, et de garder la vingtième pour elle. Mais ses mains tremblaient tellement qu'elle ne parvenait pas à ajuster l'angle de la portière qu'un humanoïde s'acharnait à défoncer, avec un poing dont la chair avait éclaté et dont on voyait l'os.

La poitrine et les cuisses serrées par le harnais de la fusée-scooter, la visière de son casque rabattue aussi bas que possible sur son visage, Jasmard louvoyait entre les troncs et les taillis de la grande forêt obscure. Dans son dos, la traîne de feu de la petite fusée autonome qui lui permettait de flotter à un mètre d'altitude, dessinait de fugitives lueurs rougeâtres sur les arbres.

Moins accoutumé que le commandant de l'*Athos* au maniement de l'appareil de secours individuel dont tous les astronefs d'exploration étaient équipés, Ganon suivait à distance. Il éprouvait de la difficulté à maintenir son équilibre tout en conservant à la main la carabine et la mitraillette qu'il avait emportées.

A demi aveuglé par les moustiques et les insectes volants de toute sorte qui s'écrasaient sur sa visière, le zoologue voyait s'agrandir la distance qui le séparait de son compagnon. Plusieurs fois, haletant, il avait essayé d'établir la communication-radio avec Jasmard pour lui demander de l'attendre. Mais, même si les parasites et les interférences du feuillage ne l'avaient pas rendu sourd, le commandant n'aurait rien entendu.

Face aux réalités d'Angus et aux dangers que courait la petite doctoresse du bord, il retrouvait des sentiments élémentaires, frustes et brutaux. Il avait envie de se battre pour sauver le bien le plus précieux que les Angusiens risquaient de leur ravir : la vie d'une femme de la Terre, c'est-à-dire d'une femelle terrienne que les Angusiens, s'ils la capturaient, pouvaient parquer avec leurs troupeaux d'humanoïdes !

Un voile rouge passa devant ses yeux quand il imagina le destin d'Elisabeth livrée

à une monture mâle, et transformée en bête
de somme pour l'usage des abominables
insectes géants à carapaces translucides! Il
fonçait aussi vite qu'il le pouvait entre les
voiles des frondaisons, le manche à balai du
scooter d'une main, ses armes de l'autre, à
travers les nuées de moustiques qui crépitaient sur son casque et s'écrasaient avec un
bruit mou sur sa combinaison. S'il avait appliqué le règlement et obéi à ses propres ordres,
ne pensant qu'à la sauvegarde de l'*Athos* et
de ses passagers, il aurait commis non seulement la pire des lâchetés, mais un crime
contre l'humanité entière. Plutôt que de savoir
Elisabeth aux mains des Angusiens et de leurs
tristes animaux domestiques à apparence
humaine, il préférait lutter jusqu'au bout et,
si nécessaire, se faire tuer après l'avoir abattue !

Il appuya encore plus fort sur la touche
d'accélération du manche à balai, se sentit
flotter dans les airs, voulut rééquilibrer la trajectoire du scooter en contournant un tronc
qui renvoyait les reflets de la lampe de son
casque, heurta une branche de plein fouet et
bascula.

Le choc lui coupa la respiration. En tendant instinctivement les mains vers la branche, il lâcha la poignée de direction et tomba
lourdement dans un taillis.

*
**

A bord de l'*Athos,* les haut-parleurs restaient désespérément muets. Le front toujours appuyé sur la vitre froide du hublot, Carlsberg contemplait toujours le triste paysage d'Angus. Dans le lointain, la ligne moutonneuse de la forêt s'obscurcissait à mesure que le soleil descendait sur l'horizon...

Depuis que le navigateur avait découvert les coordonnées réelles de l'endroit où se trouvait le navire, il était devenu étrangement calme. On eût dit que plus rien n'avait d'importance pour lui.

Dans sa main gauche qui pendait le long de son flanc, il tenait la *bande de Möbius* qu'il avait découpée dans une feuille de papier et dont il comptait se servir pour expliquer à ses compagnons comment ils allaient tenter de rallier la Terre.

Persuadé que Jasmard et Ganon n'allaient pas tarder à revenir à l'*Athos* avec la doctoresse, au début il s'était amusé à l'idée de leur incrédulité et de leur surprise. Mais, à mesure que le jour déclinait, il se demandait s'il allait jamais revoir ses compagnons.

CHAPITRE XX

Etourdi par le choc, Jasmard se retrouva au plus profond d'un buisson d'épines. A chacun des gestes qu'il faisait pour se remettre debout sans dégrafer le harnais du scooter, autour de lui les branches se brisaient comme des brindilles de verre. Elles tombaient à ses pieds avec un bruit cristallin.

Il allait enfin émerger du fouillis végétal quand il entendit, dans la pénombre du sous-bois, le bruit d'une cavalcade. D'abord, il pensa que Ganon arrivait à son aide et que, grâce à lui, il allait pouvoir lancer le démarreur de sa fusée autonome sans trop de difficultés. Puis il comprit que plusieurs créatures couraient dans la forêt.

Aussitôt, il éteignit sa lampe frontale et s'aplatit sous les épines. Quand ses yeux se furent accoutumés à l'obscurité, il distingua enfin, à l'œil nu, les montures humaines qu'il avait vues sur les écrans de l'*Athos* lors de la diffusion du film de Martha Hill et de Gassama.

Elles avançaient en ligne, entre les ronces et les troncs, les poings serrés sur les sangles des selles qui meurtrissaient leurs épaules. Chacune d'elles portait l'un de ces énormes insectes dont le corps glauque prenait, dans la pénombre, un aspect de larve. Toutes couraient dans la direction des lisières où les goniomètres de l'astronef avaient localisé la chute du Terraplane.

Un frisson de dégoût le parcourut tout entier, et il s'interrogea sur l'origine des humains de la planète. Se pouvait-il que leur race remonte à la nuit des temps et qu'elle se soit développée, comme sur Terre les mammifères supérieurs, en même temps que les Angusiens leurs maîtres ? A moins qu'un vaisseau de la Terre, des dizaines ou des centaines d'années auparavant, n'ait fait naufrage sur Angus et que les descendants des astronautes, réduits en esclavage par les indigènes, n'aient, de génération en génération, fini par atteindre le fond de l'abîme ? Les habitants d'Angus auraient ainsi volé l'âme des hommes comme ceux-ci avaient nié toute vie spirituelle aux animaux terrestres.

A quelques mètres de sa cachette, les pieds nus des montures mâles et femelles martelaient le sol. Il entendait siffler leurs poitrines et grésiller les antennes de leurs cavaliers.

A voir ses semblables ainsi recevoir des coups de cravache sans broncher, et fixer les lointains de leurs yeux morts, il se demanda si ces pauvres êtres domestiqués étaient réellement les frères de ceux qui sillonnaient l'espace dans leurs astronefs étincelants et colonisaient les planètes habitables les unes après les autres.

Jasmard compta vingt cavaliers, monstrueux insectes de cauchemar assis sur les épaules d'hommes nus, qui scrutaient les ténèbres de leurs petits yeux roses toujours en mouvement. Il remarqua que les Angusiens portaient d'étranges tubes creux qu'ils brandissaient comme des armes.

Quand le dernier eut disparu dans la direction de la clarté blafarde qui marquait l'orée du bois, le commandant de l'*Athos* regarda autour de lui dans l'espoir de retrouver Ganon. Il fit une série d'appels à la radio, ne recueillit que les crépitements des parasites et ralluma sa lampe. Aucun signe de vie ne se manifestant, il se remit en marche. Une rage froide s'était emparée de lui. Il n'hésita pas à mettre à feu la fusée de son scooter, en dépit du sifflement qui risquait d'attirer l'attention sur lui.

Ganon semblait s'être volatilisé. A moins que le zoologue, plus rapide que lui, ne soit déjà arrivé sur les lieux du drame.

De la sueur plein les yeux, Jasmard s'élança, se fourvoya plusieurs fois dans des labyrinthes de végétaux enchevêtrés, dut faire demi-tour, repartir en dépit des feuilles tranchantes comme des rasoirs qui lui déchiraient les membres. L'horreur que lui inspirait le monde inhumain d'Angus lui fouaillait le ventre mais durcissait sa détermination de tenter l'impossible pour sauver Elisabeth.

Il savait pourtant que son combat était désespéré, que ses faibles moyens étaient sans commune mesure avec ceux de la multitude angusienne ; mais jamais il n'eût osé revenir sur Terre pour avouer aux hommes qu'il avait abandonné une femme aux mains d'Extra-Terrestres caparaçonnés de matière transparente ! Elisabeth, pour lui, représentait non seulement une compagne, une sœur, une épouse, une maîtresse ; elle était aussi l'image de la femme, de la mère de tous les hommes !

Un dernier rideau de végétation le séparait maintenant de l'endroit où s'était abîmé le Terraplane. Il réduisit l'échappement des gaz de sa petite tuyère et descendit jusqu'à ce que la pointe de ses pieds flotte au ras du sol.

D'une main, il soupesa les grenades accrochées à sa ceinture, puis il vérifia l'armement de sa mitraillette et, avec le canon, écarta les dernières branches. Il eut alors un mouvement de recul.

A quelques pas de là, toutes sellées, les montures humaines des habitants d'Angus dépeçaient le corps de Ganon étendu sur un rocher couvert de mousse blanche !

Les mains rougies, le menton dégoulinant de sang, elles fouillaient la poitrine du zoologue qui, depuis le drame de Golthos, n'avait pas ménagé sa peine ni son courage pour aider les cosmonautes à rétablir une situation compromise par l'anéantissement d'une partie de l'équipage, la mort des scientifiques, et les avaries du navire. Maintenant, le pauvre homme payait de sa vie la fidélité qu'il avait manifestée pour Jasmard et la hâte de celui-ci à traverser la forêt.

Devant le chef de l'*Athos*, les humanoïdes sauvages mâchaient placidement sa chair et se léchaient les doigts.

De honte, de rage, d'horreur, le doigt du commandant se crispa sur la détente. La rafale partit, fauchant les pauvres créatures qui ne songèrent même pas à se protéger des balles.

Plus loin, poussés par les Angusiens qui les encourageaient à coups de cravache, d'autres humains nus, aux visages de brutes d'un autre âge, achevaient de disloquer le Terraplane avec le tronc d'un arbre dont ils s'étaient fait un bélier. Pas plus que les autres, ils ne prirent garde aux coups de feu.

Jasmard en abattit un pan entier. Mais d'autres suivaient, encadrés par les horribles créatures dont les craquètements de colère résonnaient sur la clairière. Dès que celles-ci se furent découvertes, ce fut sur elles qu'il dirigea son tir.

Pris de plein fouet par les balles explosives, les Extra-Terrestres furent projetés en arrière. Il tira encore, mais leurs carapaces semblaient les mettre à l'abri des projectiles de la mitraillette ! Renversés sur le dos, ils agitaient leurs pattes en tous sens en poussant des grésillements de rage, puis ils basculaient à nouveau sur le ventre et se remettaient en marche.

Pour mieux viser, Jasmard aurait dû se

débarrasser de la fusée-scooter qui gênait ses mouvements, mais il ne pouvait se résoudre à abandonner son seul moyen de fuite ou de repli. Il mit un genou en terre, ajusta un Angusien étalé sur le dos, l'atteignit en plein ventre et le vit exploser.

Il n'eut pas le temps de se réjouir de son succès car, profitant du répit qu'il leur avait accordé, une dizaine de cloportes avaient braqué sur lui les tubes d'où jaillirent plusieurs dards qui passèrent en sifflant au-dessus de sa tête.

Il fit un quart de tour sur lui-même et arrosa leur groupe d'une grêle de balles. Puis il mit un nouveau chargeur dans la culasse de son arme et s'élança en avant.

Ce fut au moment où il allait franchir une ligne rocheuse à fleur de terre qu'il ressentit une douleur cuisante à la hanche.

Quand la tôle de la porte avait commencé à se tordre sous les coups de l'humanoïde et que celui-ci avait pu passer son visage par l'ouverture, Elisabeth avait lâché son premier coup de feu.

Le crâne de la brute avait volé en éclats, mais une autre, aussitôt, était venue la remplacer. La jeune femme, alors, s'était remise à tirer, et l'odeur de poudre avait empli l'étroit habitacle de la coupole. Des larmes coulaient sur ses joues.

Quand elle entendit d'autres coups de feu,

tirés en rafale du côté des lisières, elle eut
un moment d'espoir, surtout quand elle assista
au repli précipité dès Angusiens. Quand elle
comprit que leurs carapaces les mettaient à
l'abri des balles, elle sut que son appel n'avait
servi qu'à attirer ses compagnons de l'*Athos*
dans un guet-apens dont ils avaient bien peu
de chance de sortir indemnes !

Autour du Terraplane, les Angusiens
grouillaient. Il y en avait partout, dans les
herbes, derrière les broussailles, sur les rochers. Tous ceux du tumulus étaient venus
sur place pour assister à la capture d'un coursier sauvage d'une nature inconnue jusqu'alors. Mystérieusement prévenus, d'autres
arrivaient encore, par dizaines, des tumulus
ou des termitières disséminés sur la savane et
dans la forêt. Il y en avait maintenant des
centaines sur lesquels ricochaient les balles
de Jasmard.

En raison de la vulnérabilité de leurs
montures, ceux-ci se portèrent eux-mêmes à
l'assaut du Terraplane, escaladant les tôles
du côté où les coups de feu ne pouvaient les
atteindre.

Une tête horrible, velue, blafarde, à travers laquelle on apercevait la masse sanguinolente du cerveau, et surmontée d'affreuses
antennes où luisaient les billes roses des yeux
à facettes, passa par l'ouverture. Ses mandibules en dents de scie vibraient sans cesse.
Elisabeth retint un hurlement d'épouvante.
Elle leva son arme et, en tremblant, appuya
sur la détente.

Le chien s'abattit avec un bruit mat sur le percuteur. Le chargeur du pistolet était vide.

Une courte patte hérissée de poils rouges, longue et grêle, frémissante, s'introduisit dans la brèche. Elle fut suivie par une énorme pince de homard, blafarde et translucide, à l'intérieur de laquelle on voyait un réseau de muscles et de canaux sanguins qui palpitaient doucement. La bouche sans lèvres s'entrouvrit, fit entendre un atroce craquètement, léger et presque musical. Ensuite, le corps caparaçonné s'introduisit à l'intérieur, précédé par la tête de cauchemar qui dardait de gros yeux globuleux sur la jeune femme.

Elisabeth s'évanouit.

CHAPITRE XXI

Jaillies d'un groupe de cloportes qui s'était reconstitué sur la crête et d'un autre qui s'abritait derrière le Terraplane, des nuées de pointes acérées fusaient des armes en forme de tube.

Touché à la hanche, Jasmard avait dû se replier contre un rocher. A plat ventre sur le sol granuleux, il avait arraché le dard de sa chair et, sans plus prendre garde à sa blessure, il écoutait le miaulement des projectiles.

Ils passaient en grêle au-dessus de lui, trouaient le feuillage des buissons, s'enfonçaient en crépitant dans l'écorce des arbres, déchiraient les longs rubans végétaux de la forêt qui se détendaient en sifflant. Chaque fois que le commandant se risquait à observer la scène du drame, ils s'abattaient sur la roche qui s'effritait sous leurs impacts, l'empêchant d'épauler sa mitraillette.

A quelques pas de là, il pouvait distinguer, dans les herbes qui caressaient le pied des arbres de lisière, le corps mutilé de Ganon et ceux des humanoïdes qu'il avait abattus. Une odeur douceâtre s'élevait de la terre, se mêlait à celle de la poudre qui piquait ses narines. Une douleur lancinante zébrait sa hanche, irradiait le long de son flanc, poussait ses élancements jusqu'à son épaule et descendait dans sa jambe.

Une nouvelle charge de projectiles s'écrasa sur son abri, déchiquetant le roc.

Jasmard leva son arme, tira une rafale au jugé, dégagea le magasin vide qu'il jeta derrière lui, et introduisit son dernier chargeur dans la culasse encore chaude.

Il savait que tout était perdu, qu'Angus était plus forte que l'*Athos* et que, d'un instant à l'autre, les Extra-Terrestres allaient le prendre à revers. Il dégoupilla une grenade et la lança par-dessus le rocher, à bonne distance du Terraplane.

Le souffle de l'explosion l'assourdit, mais il put entendre les craquètements furieux de ses adversaires d'un autre monde. Profitant de l'effet de surprise, il baissa la visière de son casque, choisit une grenade au phosphore et risqua un œil à l'angle de la roche. Il distingua des morceaux de chair sanguinolente éparpillés sur le sol et, plus loin entre les ronces, des carapaces transparentes qui battaient en retraite.

Il jeta sa deuxième grenade et se recula à temps pour ne pas être ébloui par l'intense lumière, blanche au sommet et verte à la base, qui courut en frissonnant sur la végétation. Malgré sa visière, l'onde brûlante l'atteignit au visage, et une horrible odeur de viande calcinée se mit à flotter dans l'air surchauffé.

La grenade suivante éclata sur la crête. Elle faucha une dizaine de petits monstres dont les membres arrachés et les débris de carapaces s'accrochèrent dans les branches. Tirées de l'autre côté du mamelon, les salves de dards ne s'arrêtèrent pas pour autant. Jasmard constata qu'il n'avait dégagé qu'un seul des flancs qui encerclaient son abri. S'il pouvait observer une partie du terrain sans risquer d'être transpercé, tout un côté de la colline et le creux où s'était enfoncé le Terraplane restaient masqués.

Jugeant sans doute leurs montures trop vulnérables, les Angusiens les avaient parquées sur la pente invisible. Un seul humanoïde courait entre deux buissons. Le commandant épaula mais, soit pour économiser ses dernières munitions, soit pour épargner la pauvre créature inconsciente, il abaissa son arme. Il saisit alors sa dernière grenade, la soupesa au creux de sa paume, la dégoupilla entre ses dents et la lança le plus loin qu'il le put.

L'explosion sema la mort parmi les Angusiens dont les craquètements devinrent assourdissants. Jasmard se dégagea. Son arme crachant le feu, il bondit à l'abri d'un autre rocher d'où il put enfin observer le véhicule à coussin d'air.

Les insectes géants d'Angus pullulaient sur les tôles de l'engin. De leur masse grouillante qui dissimulait à demi la carrosserie luisante sous le soleil, émergeait une chevelure blonde.

Les membres glacés, Jasmard essuya la sueur qui coulait dans ses yeux Il reconnut alors le corps inanimé d'Elisabeth Erl que les Angusiens hissaient par la portière défoncée...

Le dernier chargeur du commandant était encore aux trois quarts plein mais il ne pouvait faire feu sans risquer de toucher la jeune femme. La rage au cœur, cloué sur place par le rideau de dards qui passaient en sifflant contre le rocher, il vit les Angusiens tirer Elisabeth sur le sol et la traîner vers la crête comme des termites emportent le corps d'un papillon.

Les mâchoires serrées, les doigts tremblants, il porta la main à sa ceinture où ne pendait plus aucune grenade. Il jura, maudit le ciel et l'espace, ferma un instant les yeux et mordit sa lèvre inférieure. Le goût du sang emplit sa bouche et il dut essuyer, du revers de la main, les deux larmes qui avaient jailli de ses yeux.

Il comprit à quel point sa lutte avait été vaine et dérisoire et ressentit avec désespoir son impuissance d'homme face à la barbare multitude d'un monde étranger. Là-bas, les Extra-Terrestres hissaient toujours Elisabeth vers la crête au-delà de laquelle elle allait disparaître vers son horrible destin.

Un dard passa en miaulant à deux doigts de sa tête. Sans prendre garde aux cloportes qui avaient pu se rapprocher et le prendre

pour cible, il s'efforça de respirer calmement
pour viser à coup sûr. Vidé de tout espoir,
il redevenait l'homme d'action, dur et efficace,
impitoyable, auquel avait été confié l'*Athos*
et ses passagers.

Seul face aux centaines d'Angusiens qui
grouillaient sur la colline, avec de rares munitions sans effet sur leurs répugnantes carapaces, il n'avait plus qu'une seule chose à
faire.

Il leva sa mitraillette.

Le grain de mire s'arrêta sur la poitrine
d'Elisabeth que ses ravisseurs emportaient
toujours plus loin. Jasmard serra les dents.
Dans l'œilleton du viseur, la petite tache noire
remonta sur le visage de la jeune femme, passa
sur ses lèvres comme pour une caresse fugi-
tive et glacée, masqua l'un de ses yeux clos,
s'immobilisa enfin sur son front.

S'il l'avait pu, le commandant eût volon-
tiers donné sa vie en échange de celle d'Elisabeth. Mais il n'était même pas maître de sa
propre existence et mesurait l'impuissance des
hommes dans l'espace.

Jasmard tira.

Il vida son chargeur.

Sûr, enfin, que la petite doctoresse de
l'*Athos* ne servirait jamais de coursier à un
Angusien, ni de femelle à un mâle de leur
parc à bétail, il ferma les paupières et appuya
sur le démarreur de la fusée-scooter.

La tension du harnais de son appareil
laboura sa chair meurtrie au-dessous de sa
blessure. La douleur fut si vive qu'il faillit

crier et perdre l'équilibre au moment où il s'élevait au-dessus du sol.

Il lâcha sa mitraillette, s'accrocha au manche à balai et vit la forêt, les collines et les arbres basculer autour de lui. L'horizon était pris d'un mouvement désordonné. Des larmes plein les yeux, tout son flanc blessé engourdi, il s'efforça d'atténuer le balancement qui s'était emparé de son corps.

Il réduisit d'instinct l'échappement des gaz de sa fusée, écarquilla les yeux pour repérer le passage dans les lisières dont il ne distinguait plus qu'une masse obscure, confuse et floue. Les branches des arbres se tendirent vers lui, tordues et griffues comme des serres.

Il les évita de justesse, se mit à planer entre le sol et le dôme feuillu de la forêt, dans l'obscurité poisseuse du couvert. Il voulait ne plus penser qu'à l'aviso qui l'attendait de l'autre côté du profond rideau d'arbres, et à la Terre qui tournait autour de son soleil, quelque part dans la Galaxie...

CHAPITRE XXII

La *bande de Möbius* est formée par un ruban de papier dont on a collé les petits côtés bout à bout, *après avoir fait subir un demi-tour à l'ensemble du ruban.*

C'était cette figure aux étranges propriétés, évoquant l'espace courbe, *sans envers ni endroit et à une seule face,* que Carlsberg avait confectionnée pour communiquer à ses compagnons le fruit de ses recherches. Il comptait l'utiliser pour leur décrire le chemin que l'*Athos* avait parcouru de la Terre à Angus et leur expliquer comment l'aviso pouvait prendre la route du retour.

Mais Carlsberg n'avait plus, pour seul auditoire, que le commandant Jasmard !

Quand celui-ci était apparu, vacillant et épuisé, dans la lumière de la clairière, le navigateur avait compris que leur échec était consommé et qu'ils n'avaient plus à compter que sur eux-mêmes pour manœuvrer le vaisseau. Il avait aidé son chef à se débarrasser du harnais du scooter, puis il l'avait pansé et, après avoir vérifié l'étanchéité des sas, il avait pris sur lui de déclencher les procédures de lancement. Ensuite, les deux hommes avaient eu trop à faire pour assurer le décollage de l'astronef et sa mise en orbite autour de la planète, pour trouver le temps de discuter de leur position dans l'univers.

Maintenant, sa blessure soignée, le commandant reposait dans le laboratoire médical où l'on ne verrait plus jamais la gracieuse silhouette de la doctoresse du bord... Quant au professeur Gassama, enfermé dans le caisson d'hibernation, il ne serait ramené à la vie que bien des jours après que l'*Athos* aurait rallié son port d'attache... Seul dans la chambre des commandes avec, pour unique compagnie, le cerveau-navigation dont les disques magnétiques cliquetaient dans son dos, Carlsberg fixait par les hublots d'observation la sphère blafarde d'Angus autour de laquelle tournait le navire. A contempler ses grandes taches livides et ses stries de lavis, il éprouvait envers la planète une haine profonde.

En attendant l'éveil du commandant, il avait branché les accumulateurs, mis la machine alternative en chauffe et activé le grand propulseur. Pour arracher l'*Athos* à l'attraction d'Angus et le projeter, à la grâce de Dieu, dans les profondeurs insondables du subespace, il ne restait plus qu'à lancer l'accélérateur... et à prier pour que le flot du continuum l'emporte dans la bonne direction.

L'air rêveur, il considérait la *bande de*

Möbius sur laquelle il promenait un doigt distrait. Durant les heures et les heures qu'il passa, seul face à lui-même, à se concentrer sur les inconnues de l'espace-temps, il faillit devenir fou. Enfin, la porte s'ouvrit derrière lui et Jasmard, sa combinaison déformée par le pansement qu'il portait sur la hanche, entra d'un pas décidé dans le poste de pilotage.

Un pli amer étirait le coin de sa bouche mais son regard était toujours aussi clair. La mine fermée, il contempla un long moment la surface d'Angus qui luisait sur les écrans, puis, s'arrachant au spectacle du sol où reposait Elisabeth, il scruta le filament magnétisé qui brillait dans la sphère de plastique que le navigateur avait confectionnée pour pallier l'absence de globe d'espace virtuel. Toujours en silence, il s'installa sur le siège de pilotage et cala ses pieds dans les logements des commandes mécaniques. Calmement, il vérifia les voyants du tableau de bord et du panneau hémisphérique, contrôla la charge des accumulateurs et demanda d'une voix tranquille, comme s'il avait à commander le départ pour un vol de routine :

— Tout est paré, Carlsberg ?

Le navigateur éprouva un étrange sentiment de paix.

Au plus profond du vaisseau, l'alternateur faisait entendre son vrombissement feutré, rassurant. A l'imperceptible vibration de sa carcasse, on sentait que l'*Athos* était prêt à s'arracher à l'attraction solaire pour foncer dans l'espace et plonger dans le continuum.

— Tout est paré, répondit-il.

— Donnez-moi le cap !

Carlsberg se passa plusieurs fois la langue sur les lèvres. Il répondit, de la voix la plus neutre qu'il put trouver :

— N'importe quel cap, commandant.

Jasmard se retourna d'un bloc. Les sourcils froncés, il fixa longuement le navigateur comme s'il voulait déceler sur le visage de son compagnon un signe de folie, mais le regard de son second n'exprimait qu'une grande tension intérieure et une étrange résignation.

— Pendant des jours et des jours, dit Carlsberg, je n'ai cessé de vérifier mes calculs. Je les ai recommencés cent fois en espérant découvrir une erreur, mais je suis toujours arrivé à la même solution paradoxale, celle à laquelle nous n'aurions pas manqué d'aboutir en analysant nos sphères d'espace apparent si celles-ci n'avaient pas été détruites par l'implosion de Golthos.

Il déposa la *bande de Möbius* sur la console de pilotage et poursuivit :

— Pour établir notre plan de vol, j'ai dû reconstituer tout notre cheminement. Voici la route que nous avons suivie !

Après avoir oscillé un instant, le ruban de papier s'était immobilisé entre le clavier des commandes et les sélecteurs de puissance. Il formait une boucle parfaite, sans envers ni endroit. Si l'un des deux hommes avait voulu tracer sur sa surface une ligne figurant leur trajectoire dans l'hyperespace, cette ligne se serait marquée sur toute la figure, sans changer de face, et la pointe du crayon serait immanquablement revenue à son point de départ !

— Vous voulez dire, fit Jasmard, que, de la Terre à Angus en passant par l'hyperespace, l'*Athos* a décrit une boucle et que nous sommes revenus en réalité aux environs de notre point de départ ?

— Pas aux environs, commandant. A l'endroit exact.

Jasmard ne répondit pas. Il se souvenait des instructions de vol qu'il avait reçues du haut commissaire à l'exploration spatiale et de l'incertitude de ce dernier en ce qui concernait le chemin parcouru par les robots-sondes... Sans homme à bord, les laboratoires automatiques ne disposaient pas de sphère d'espace apparent où se matérialisaient, en modèle réduit, les trajectoires suivies par les grands astronefs quand ceux-ci quittaient l'univers rationnel de l'espace à trois dimensions pour plonger dans le continuum spatio-temporel où ils empruntaient des *raccourcis* dont les savants eux-mêmes n'avaient qu'une vague idée. Ainsi, les appareils robots qui avaient révélé l'existence du système d'Angus n'avaient-ils pu le localiser dans les limites de la Voie lactée.

Cette tâche était la première qui incombait à l'équipage humain de l'*Athos*, mais elle n'avait pu être menée à bien à cause de l'accident qui avait détruit les instruments de navigation translumnique. Maintenant, Jasmard se heurtait à une réalité à ce point invraisemblable qu'il n'osait pas en tirer les conclusions.

Il regarda Carlsberg avec incrédulité puis, d'un geste rêveur, il promena son ongle sur la surface du *ruban de Möbius*.

— Admettons que vous ayez raison, fit-il. En partant de ce point, si je promène mon doigt sur la totalité de la surface unique de cette bande de papier, j'aboutis nécessairement à ce même point. Pourtant, avant que vous ayez collé ses deux extrémités, elle avait bien deux surfaces, un recto et un verso !

— Mais, si au lieu de votre doigt, vous aviez promené une épingle sur la *bande de Möbius*, cette épingle aurait aussi parcouru la totalité de sa surface. Mais elle serait revenue *à l'envers* à son point de départ !

La tête qui précédait la pointe de l'épingle aboutissant *avant elle* à son point de départ, cela ne pouvait avoir de signification cohérente que dans un univers où les courbures du temps et de l'espace s'épousent étroitement.

— Il est exact, dit Jasmard d'une voix contenue, que, quand nous avons franchi la faille spatiale par où les laboratoires robots étaient passés avant nous, nous avons aussi quitté une certaine cohérence. Mais en émergeant dans notre propre espace à trois dimensions après avoir traversé le continuum, nous avons pourtant retrouvé un monde rationnel. La vie qui s'est développée sur Angus comme sur la Terre le prouve.

Il se tut soudain, se tourna vers le hublot et désigna la sphère glauque autour de laquelle ils orbitaient toujours. Puis il s'exclama :

— Comment pouvez-vous prétendre que nous sommes revenus *exactement* à notre point de départ ?

— Souvenez-vous, répondit Carlsberg, de l'étrange similitude entre le système de la Terre et celui d'Angus. Même soleil, même nombre de satellites, même planète habitable, même spectre, même atmosphère, même composition chimique des organismes vivants.

Jasmard réfléchit longuement, son visage était pâle quand il murmura enfin :

— Selon vous, l'*Athos* ne s'est donc pas déplacé dans l'espace, mais dans le temps ?

Carlsberg inclina lentement la tête.

— Oui, commandant.

— Et bien qu'ayant abandonné, il y a plus de trois mois, l'orbite terrestre de notre départ, nous nous serions donc retrouvés sur une même orbite, au-dessus du même sol ?

— C'est à peu près cela, commandant.

Il y eut un moment de silence, puis le navigateur reprit :

— Angus et la Terre ne font qu'une seule et même planète ! Elles ne sont séparées l'une de l'autre que par un océan de milliers et de milliers d'années...

Pour ahurissante que fût l'hypothèse de Carlsberg, elle expliquait bien des choses !

— Et les humanoïdes d'Angus, ces pauvres brutes domestiquées par les cloportes transparents, qui sont-ils, à votre avis, nos lointains ancêtres ou nos descendants ?

Carlsberg laissa retomber ses épaules

lasses. Il se massa lentement le front et dit
d'une voix lointaine :

— L'implosion de Golthos m'avait fourni
une réponse satisfaisante à cette question. En
effet, cet accident étant à l'origine de la ceinture d'astéroïdes qui existe dans le temps
d'où nous venons, on pouvait imaginer que
nous avions abouti au système d'Angus sans
quitter notre propre espace, mais à des milliers d'années dans le passé, bien avant le
déluge ; et donc que les humains d'Angus
étaient nos ancêtres...

— Seulement ?

— Eh bien ! j'ai retrouvé une sphère de
magnétoquartz enregistrée par le professeur
Goldenberg alors qu'il procédait à l'étude de
la planète transparente. Goldenberg en était
arrivé à la conclusion que Golthos était une
étoile morte et que, toute réaction thermo-
nucléaire ayant cessé, sa matière n'était plus
constituée que par des neutrons, donc que la
masse de son noyau central dépassait l'imagination... A sa surface, un dé à coudre de son
sol devait peser dix fois le poids de l'*Athos*
à pleine charge !

Jadis, Einstein affirmait déjà que l'espace
se courbe au voisinage des étoiles, qu'il est
d'autant plus courbé que la gravitation y est
plus forte, et qu'en un mot cette courbure est
la gravitation elle-même.

En ce qui concernait Golthos, on pouvait
donc penser que sa masse et son poids étaient
devenus tels, et le champ gravitationnel à ce
point intense que la courbure de l'espace s'était

refermée sur elle-même, absorbant ainsi la planète qui était devenue invisible et avait créé
autour d'elle son propre univers.

— Mais de quelle matière cet astre mort
a-t-il été formé, reprit Carlsberg, si ce n'est de
toutes celles des astéroïdes épars de la *ceinture ?*... Si tel est le cas, le temps ne courant
plus nécessairement dans le même sens, nous
ne pouvons affirmer que Golthos n'est pas en
train de se reconstituer en ce moment même...
On ne peut donc pas dire en toute certitude
si la ceinture d'astéroïdes, telle que nous la
connaissons sur Terre, a précédé ou suivi la
création de Golthos... Ainsi, les hommes d'Angus sont-ils peut-être nos très lointains petits-
enfants, et les cloportes angusiens les représen-
tants de la race qui doit nous remplacer après
un cataclysme futur de l'ampleur du déluge.

Jasmard parvint enfin à s'arracher à la
contemplation morose du corps céleste qui
miroitait sous les hublots de l'*Athos*. Jamais
il ne s'était interrogé sur la signification des
départs car le voyage, la lutte, la découverte,
la quête étaient pour lui le fondement même
de l'homme. Aujourd'hui, tout était différent,
car leur propre existence se situait peut-être
à des siècles de leur mort ou de leur naissance. Et quel but pouvait avoir une vie
d'homme si elle se refermait sur elle-même ?

Il soupira, revint s'asseoir devant la console
de pilotage et demanda pour la deuxième fois :

— Quel cap, Carlsberg ?

Le navigateur reprit le dérisoire petit ruban

de papier qu'il avait confectionné pour l'aider
à préciser sa pensée et, avec la pointe d'un
couteau, il le trancha en deux, dans le sens
de la longueur.

On eût pu croire que la *bande de Möbius*
allait se diviser en deux cercles égaux, prisonniers l'un de l'autre. Au lieu de cela, il se
forma un nouveau *ruban de Möbius,* un seul
de moitié plus étroit que l'autre et deux fois
plus long, avec les mêmes caractéristiques et
les mêmes propriétés que le premier. S'il
l'avait coupé encore une fois, et une fois
encore, il n'y aurait toujours qu'un seul et
unique *ruban de Möbius.*

— C'est un leurre, fit Carlsberg, de penser que nous pouvons choisir notre direction.

Il secoua la tête et répéta :

— Prenez n'importe quel cap, commandant. Nous ne pouvons que revenir à notre
point de départ.

— Et à l'époque de notre départ ?

La calculatrice du bord eût-elle été mille
fois plus complexe, jamais elle n'aurait pu
fournir une amorce de réponse à la question
du commandant.

Jasmard s'enfonça au creux du siège pneumatique et fixa les sangles de sécurité. Il vérifia que son compagnon avait pris les mêmes
dispositions, puis il demanda :

— Paré ?

— Paré.

Il leva la main, la tint un moment au-
dessus du clavier et, d'un geste brusque,
enfonça la touche de mise à feu. Il sentit que
l'*Athos* était emporté, à une vitesse foudroyante, vers cet unique aboutissement où
mènent tous les départs des hommes.

FIN

DEJA PARUS DANS LA MEME COLLECTION

VIENT DE PARAITRE :

Pierre Suragne
LA NEF DES DIEUX

A PARAITRE :

André Caroff
CEUX DES TÉNÈBRES

Imprimerie Artistique de Monaco - Dépôt légal : 1ᵉʳ trim. 1973

VOLUME REALISE PAR

EUREPI

1, av. Henry-Dunant

MONTE-CARLO

Principauté de Monaco

Publication mensuelle

PUBLICATION MENSUELLE

Référence 4.070